흥부전

심청전 • 장화홍련전

새슬문고 · 50

흥부전

심청전 • 장화홍련전

재미있는 고전 읽기 - 우리 나라 고전명작 ①

지은이 동화창의학습연구회
그린이 유승열
펴낸이 이상운
펴낸곳 도서출판 동화사

등 록 제1-78호(1970. 11. 23)
주 소 서울 금천구 가산동 371-7
전 화 영업부 : 839-0176~8
동화학습문고 편집부 : 3281-6902
팩 스 838-4067
홈페이지 http://www.dhbook.co.kr

정 가 6,000원 *잘못된 책은 교환해 드립니다.

재미있는 고전 읽기
-우리 나라 고전명작 ①

흥부전

심청전 • 장화홍련전

동화창의학습연구회 편

책 읽기 전에-도움말

민족의 얼 - 고전 소설

고전 소설은 갑오경장(1894년 개화당이 종래의 국가 제도를 근대적으로 고친 일) 이후, 신소설이 나오기 전의 소설들을 말합니다. 갑오경장을 거치면서 우리 문학 작품들의 형식과 내용이 엄청나게 달라졌기 때문입니다.

고전 소설은 옛날부터 내려오던 설화나 전설 등이 기록되면서 소설의 형태를 갖춘 것입니다. 기록된 시기는 훈민정음이 창제된 이후로 보고 있습니다. 지금까지 전해오는 고전 소설은 15세기 말 김시습이 쓴 〈금오신화〉부터 300여 편 정도 됩니다. 처음 고전 소설을 읽은 사람들은 주로 몰락한 양반과 양반집 부녀자들이었습니다. 그러다 차츰 일반 백성들 사이에 퍼져나갔습니다.

고전 소설은 한 작품마다 여러 가지 본이 있다는 것이 특징입니다. 기록한 사람이 다르고 기록한 연대가 다르기 때문입니다.

그런데 어떤 본은 내용이 아주 달라서 독립적으로 다루어지기도 합니다.

대부분의 고전 소설은 지은이와 지어진 연대가 밝혀지지 않았습니다. 고전 소설을 쓴 사람들이 주로 몰락한 양반이었기 때문입니다. 이들은 어려운 생활 속에서 희망을 갖기 위해 소설을 썼습니다. 그래서 이야기의 내용이 현실에 맞지 않고 엉뚱하며, 꼭 행복하게 끝납니다. 또 주제가 착한 것을 권하고 악한 것을 벌하는 '권선징악' 으로 되어 있습니다.

고전 소설에는 우리 조상들의 얼이 들어 있습니다. 우리 조상들이 어떤 일을 겪었으며, 무엇을 생각하고, 무엇을 느꼈는지 알 수 있습니다. 그리고 바라던 것이 무엇인지 알 수 있습니다. 풍자와 해학이 곁들여져 읽는 재미가 더합니다.

옛날이나 오늘날이나 사람들의 삶은 같습니다. 따라서 고전 소설을 읽으면서 오늘날의 문제를 이해할 수도 있습니다. 더불어 좀 더 확실한 미래를 설계할 수도 있습니다.

동화창의학습연구회

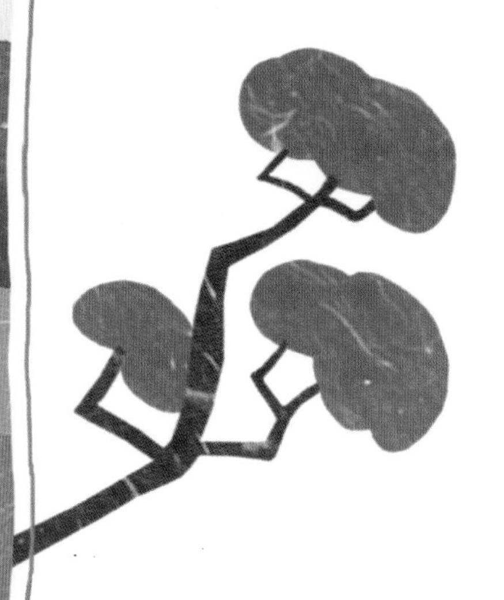

흥부전

쫓겨난 흥부 • 10

산 입에 거미줄 치기 • 13

품팔기 • 21

제비의 보은 • 25

박타령 • 30

놀부의 시샘 • 38

놀부의 욕심 • 44

제비의 복수 • 48

심청전

선녀가 내려오다 • 66

젖 동냥 밥 동냥 • 72

공양미 삼백 석 • 76

인당수의 제물 • 84

수정궁 • 98

연꽃에서 되살아난 심청 • 107

맹인 잔치 • 112

장화홍련전

어머니를 그리는 마음 • 122

계모의 모함 • 127

뜻밖의 이별 • 132

억울한 죽음 • 136

죽음을 뛰어넘은 우애 • 141

홍련의 죽음 • 146

장화와 홍련의 원혼 • 152

흥부전

쫓겨난 흥부

충청도와 전라도 경상도 어름에 사는 박씨 성을 가진 형제가 살고 있었습니다. 형은 놀부요 아우는 흥부인데, 한 형제건만 성격이 아주 달랐습니다.

형인 놀부는 어찌나 심술궂은지 초상난 집에 가면 노래하고, 불난 데 쫓아가서 부채질하고, 우는 아이에게는 똥을 먹였습니다.

"저 하는 짓거리 좀 보라지, 심술첨지가 따로 없구먼."

"그러니까 오장육부가 아니라 오장칠부라지 않는가."

사람들 말대로 놀부에게는 심술보라는 내장이 하나 더 있었습니다.

놀부에 비해 흥부는 속없이 착했습니다. 굶주린 사람을 보면 먹던 밥을 덜어주고, 추위에 떠는 사람을 보면 입고 있던 옷을 벗어주었습니다. 또 길 잃은 아이를 보면 집을 찾아 주고, 짐을 진 노인을 보면 대신 지어다 주었습니다. 이렇게 남의 일 돕느라 돈 한 푼 벌지 않는 흥부를 놀부는 한심하게 생각했습니다.

"멀쩡한 놈이 하루 종일 놀고 먹는 꼴이라니, 당장 마누라와 자식새끼들 데리고 내 집에서 썩 나가거라."

놀부는 흥부 가족을 내쫓았습니다.

"이 엄동설한에 갑자기 나가라고 하시면 어디로 가라는 말입니까?"

흥부가 눈물, 콧물 흘리며 사정했지만 놀부는 들은 척도 하지 않았습니다. 흥부는 할 수 없이 짐을 싸들고 놀부 집에서 나왔습니다.

“기왕 이렇게 되었으니 우리 힘으로 열심히 살아봅시다.”

흥부는 가족들을 이끌고 ‘복덕’이라는 인심 좋은 마을로 갔습니다. 마침 마을 한 구석에 빈집이 하나 있었습니다.

“당분간 저 집에서 살면 되겠구나.”

그러나 그것은 말만 집이었습니다.

“어, 집이 막 움직여요.”

“흙도 쏟아져요.”

아이들 말처럼 집은 사람들 발자국 소리에도 이리 휘청 저리 휘청 춤을 추었습니다. 우수수, 흙도 쏟아냈습니다. 아침에 이슬만 내려도 방안에는 주룩주룩 물이 흐르고, 부엌에 불을 때면 온 집안이 굴뚝이 되었습니다. 또 자다가 기지개라도 불끈 켜면 앞마당으로 발목이 쑥 나가고, 뒷마당으로는 상투가 나갔습니다. 허리를 굽히면 밖으로 엉덩이가 나갔습니다.

“추운데 엉덩이는 왜 밖으로 내미는 거요?”

지나가던 사람이 흥부네 식구 엉덩이를 보고 껄껄 웃기도 하였습니다.

산 입에 거미줄 치기

"넌 누구냐?"

"아버지 아들이지 누구긴 누구예요?"

"넌 또 누구냐?"

"저도 아버지 아들인데요."

아이들이 많다보니 흥부는 제 자식도 몰라 볼 때가 많았습니다. 먹는 날보다 굶는 날이 많았건만 아이들은 계속 생겼습니다. 생기는 대로 낳다보니 무려 스물다섯 명이나 되었습니다. 어린 자식들은 앉으나 서나 밥 타령이었습니다.

"배가 고파요."

"뱃가죽이 등짝에 달라붙었어요."

먹지 못하는 것은 어른들도 마찬가지였습니다. 흥부 아내는 아기를 낳고도 미역국 한 대접 먹지 못했습니다. 먹지 못하니 젖도 나오지 않았습니다. 안 나오는 젖을 빨던 아기는 빽빽 울다 지쳐 잠이 들곤 했습니다.

"아무리 가난하다고 해도 우리처럼 가난할 수가 있을까.

산 입에
거미줄 안
친다는데 우리
아이들은 입 뿐만 아니라 온몸에 다 치겠네. 여보, 제발 형님 댁에 가서 사정 좀 해 보세요."

견디다 못한 아내가 흥부를 붙잡고 사정했습니다. 기어이 자식들 굶어 죽는 꼴을 보려는지, 며칠 동안 물로 배 채우는 아이들을 멀거니 바라보는 흥부가 흥부 아내는 한심하게만 생각되었습니다.

"사정한다고 형님이 거들떠나 보겠소?"

"그렇다고 가만히 앉아서 굶어 죽을 셈이에요? 혼날 때 혼나더라도 가서 사정이나 해봐요."

"그 성격에 호통이나 칠 게 뻔한데 왜 자꾸 찾아가라는 거요."

"형님 호통치는 게 굶어 죽는 것보다 더 두려워요?"

아내 잔소리를 피해 흥부는 집을 나섰습니다. 형님 집에 간다고 차려 입는다고 입은 꼴이 영락없는 거지꼴이었습니다. 머리 갓은 찢어지고, 고의적삼은 낡고 때에 절어 원래 제 빛깔이 무엇인지 알 수가 없었습니다.

"가봐야 헛일일 텐데, 마누라 등쌀에 안 갈 수도 없고. 죽지 않고 살아서 이게 무슨 고생이란 말인가."

흥부는 하늘을 보며 탄식했습니다.

그 사이에 놀부의 집은 한층 더 좋아졌습니다. 30여 칸 넓은 집에 솟을대문이 날아갈 듯 서 있고, 솟을대문 안에 중문, 중문 안에 소문이 차례로 이어져 있었습니다.

"아니 작은서방님이 아니십니까?"

흥부가 기웃거리자 늙은 종 하나가 흥부를 알아보고 달려 나왔습니다.

"잘못하면 스물일곱 식구가 다 죽게 되었기에 형님께 말씀드리고 뭣 좀 얻어가려고 왔네. 그래, 형님과 형수님은 여전히 건강하신가?"

"그 분에게 어떤 병이 붙고 어떤 귀신이 꼼짝할 수 있겠습니까. 몸과 마음이 여전히 펄펄하십니다."

"이거 야단났군."

여전하다는 말에 흥부는 은근히 걱정이 되었습니다.

"그래서 안 오려고 했는데, 아씨가 어찌나 못 살게 구는지 할 수 없이 떠밀려 왔네."

"아무리 그래도 이 추위에 여기까지 오셨는데 설마 모르는 척하시겠습니까. 어서 들어가 보십시오."

늙은 종은 흥부를 안으로 떠밀었습니다. 처음에는 아내에게 떠밀리고 뒤에는 종에게 떠밀린 셈이었습니다.

반쯤 열린 영창을 들여다보니 놀부가 검은 담비모피 두루마기에 청모관을 쓰고 양담배를 피워 문 채 비스듬히 누워 있었습니다.

"형님, 안녕하십니까?"

흥부는 눈치를 살피며 슬금슬금 다가갔습니다.

"뉘신지요?"

"형님 아우 흥부입니다."

"흥부, 흥부가 누구지?

일 년 치 새경 먼저 받고 모 심을 때 도망한 놈, 그놈은 황부렸다. 쟁기질 보냈더니 소 가지고 도망한 놈, 그놈은 흉부렸다. 흥부, 흥부? 암만해도 기억하지 못하겠네."

놀부가 능청스레 고개를 돌렸습니다.

"아이고 형님, 같은 부모에게서 태어난 아우를 어찌 이리 까맣게 잊으셨습니까?"

"아우라고?"

"예, 잘 보십시오. 동지 섣달 엄동설한에 혼자 힘으로 살아 보라고 형님이 내쫓은 그 흥부입니다."

"그래?"

"하지만 무슨 복이 그리 없는지 밤낮으로 일해도 돈 한 푼을 못 모으고, 원치 않는 자식만 스물다섯이나 두었습니다. 형님 부디 어린 조카와

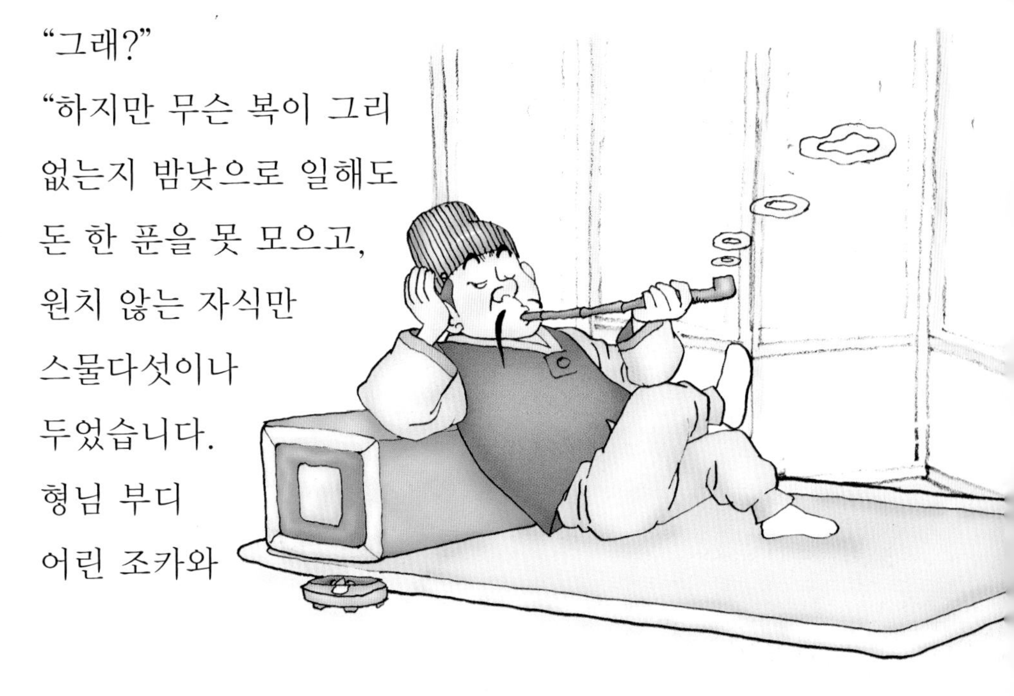

제수를 생각해서 돈이든 곡식이든 좀 꾸어 주십시오.”

흥부는 두 손을 싹싹 비비면서 구슬피 울었습니다.

“이놈아, 네 팔자가 사나워서 그런 걸 어디 와서 떼를 쓰느냐. 더구나 이런 흉년에 곡식이 어디 있다고 곡식 타령이냐.”

놀부는 방에서 달려나와 흥부를 걷어찼습니다. 처음부터 따끔하게 혼을 내야 다시는 찾아오지 않을 것이기 때문이었습니다.

“형님, 제발 동정을 베풀어주십시오.”

굶고 있는 자식들을 생각해서 흥부는 악착같이 매달렸습니다.

그러자 이번에는 몽둥이를 내려 등짝이며 엉덩이를 마구 후려쳤습니다.

“이놈이, 썩 나가라니까.”

“아이고 어머니, 나 죽습니다.”

흥부는 두 팔로 머리를 감싼 채 놀부 발밑을 굴렀습니다. 맞아 죽나, 굶어 죽나 마찬가지라는 생각이었습니다.

“애들아, 이놈을 끌어내라.”

하인들이 흥부를 끌고 가자 놀부는 문을 쾅, 닫았습니다. 이를 보고 놀부 아내가 달려나왔습니다.

"저런 놈을 그냥 보내다니, 정신이 있는 거요, 없는 거요? 다리를 부러뜨리든지 해서 다시는 못 오게 만들어야지. 아우라고 사정을 봐주는 거요?"

멀쩡히 걸어나가는 흥부를 보고 놀부 아내는 약이 올라 펄쩍펄쩍 뛰었습니다. 흥부는 기가 막혀서 눈물도 나오지 않았습니다.

품팔기

흥부 아내는 마을 어귀에 나와 있었습니다. 행여 흥부가 형님에게 곡식이라도 꾸어오면 얼른 받아들 셈이었습니다. 마침 저만치서 비틀비틀 흥부가 오는 것이 보였습니다. 반가운 마음에 흥부 아내는 얼른 쫓아갔습니다.

"오랜만에 형님과 한 잔 하신 모양이군요."

제대로 몸도 못 가누는 흥부를 보고 흥부 아내는 술을 마신 줄 알았습니다.

"그랬지, 그랬지."

정말 술 취한 모양으로 흥부가 고개를 끄덕거렸습니다.

"곡식은 좀 꾸어 주었나요?"

"곡식뿐이겠소, 돈도 석 냥씩이나 주시던걸. 그런데 고개 넘어 오다가 그만 도둑을 만나 다 빼앗기고 말았구려."

그럴 듯하게 둘러댔지만 흥부 아내는 바로 사정을 알아차렸습니다. 놀부의 성격을 뻔히 알면서 기대했던 것이 잘못이었습니다.

"아이고, 그 몹쓸 양반이 사람까지 쳤네."

흥부의 모습을 살펴보고 흥부 아내가 가슴을 쳤습니다.

"그게 무슨 소리요, 형님이 얼마나 반갑게 맞아 주셨는데."

아무리 아니라고 해도 구렁이가 감고 있는 듯, 온몸에 든 멍까지 감출 수는 없었습니다.

"그렇게 감싸준다고 내가 모를까봐요? 몹쓸 양반, 몹쓸 양반. 몇 년 만에 만난 아우를 반갑게 맞아주기는 커녕 때려서 내쫓다니, 그러고도 사람이라고 할 수 있을까!"

한참 넋두리를 하다보니 문득 깨닫는 것이 있었습니다. 이렇게 살아서는 안 되겠다는 생각이었습니다. 자식들과 먹고살자면 무슨 일이든 해야했습니다. 흥부도 아내와 같은 생각이었습니다.

다음날부터 흥부는 부지런히 품을 팔기 시작했습니다. 남의 논 김매기, 산에 가서 풀베기, 양반 아씨 가마 메기, 담장 쌓는 데 자갈 줍기, 초상 난 집 부고 전하기, 출상할 때 명정 들기, 대장간의 풀무 불기 등 닥치는 대로 했습니다.

흥부 아내도 가만히 있지 않았습니다. 오뉴월에 밭매기, 구시월에 김장하기, 채소밭에 오줌주기, 보리 갈 때 밑거름 주기 등 온갖 일을 마다하지 않았습니다. 그래도 아이들은 여전히 배고프다고 아우성이었습니다.

"손이 닳고 닳도록 품을 팔아도 목구멍에 풀칠하기도 어려우니 아마도 죽으라는 팔자인 모양이오."

어느 날, 허기져 드러누운 아이들을 보며 흥부와 흥부 아내는 엉엉 울었습니다. 울음소리를 듣고 지나가던 한 스님이 멈춰 섰습니다.

"다른 데나 가보시지요."

흥부가 기가 막힌 듯 말했습니다. 마치 이런 집에 뭐 얻을 게 있다고 찾아왔나 싶은 표정이었습니다.

"주인이 가라시면 가야겠지만, 우는 사연이나 알고 갑시다."

스님은 성큼 안으로 들어와 마루에 걸터앉았습니다.

"혹시 압니까, 소승이 도움이 될지."

스님 말에 흥부와 흥부 아내는 사정 이야기를 하였습니다. 흥부가 이야기를 하면 아내가 통곡하고, 아내가 이야기를 하면 흥부가 통곡하는 식이었습니다. 그러다 마지막에는 함께 통곡하기도 했습니다.

"그런 일이라면 좋은 방법이 있소이다."

스님은 흥부 부부에게 집터를 잡아 주었습니다. 뒤에 산이 있고 앞에 물이 흐르는, 아늑한 곳이었습니다.

"이 곳에 집을 짓고 편안한 마음으로 지내다 보면 가세가 일어날 것이오."

그런 다음 홀연히 사라졌습니다. 흥부는 새로운 집터에 기둥을 박고 담을 쌓았습니다. 그 곳에서 백설 한풍 겨울을 났습니다. 스님 말대로 헐벗고 굶주려도 마음 편하게 지냈습니다.

제비의 보은

봄이 되자 주변 경계가 참으로 볼 만했습니다.

버들은 연한 황록색으로 싹을 틔우고, 꾀꼬리는 노래하고, 배 꽃 향기에 나비가 너울너울 날아들었습니다. 삼월 동풍이 불기 시작하자 강남에서 온 제비도 날아들었습니다.

"지지배배, 지지배배."

제비는 흥부의 오두막 위를 빙빙 돌았습니다.

"제비는 가난한 집, 부잣집 차별하지 않는다더니, 붉게 칠한 난간과 채색한 누각 다 버리고 좁고 누추한 이 곳으로 왔구나."

흥부는 제비가 고맙고도 반가웠습니다.

제비는 흥부네 처마 밑에 자리를 잡고 진흙과 지푸라기를 물어다가 집을 지었습니다. 이어 수컷이 날고 암컷이 따르며 사랑을 하더니 얼마 후에는 알을 낳고 새끼를 깠습니다. '지지배배 지지배배' 새끼제비들이 지저귀는 소리는 흥부 식구들에게 커다란 즐거움을 주었습니다.

어미제비는 새끼제비들을 위해 부지런히 먹이를 물어다 먹였습니다.

"저런 미물도 새끼들을 위해 한시도 가만히 있지 않는구나."

제비의 지극한 모성에 흥부와 흥부 아내는 크게 감동하였습니다.

어느 날이었습니다. 여느 때와는 다르게 어미제비가 어지럽게 날아다니며 마구 울어대는 것이었습니다. 이상하게 생각하고 나와보니 뜻밖에도 구렁이 한 마리가 새끼 제비들을 잡아먹고 있었습니다.

"저런 못된 짐승 같으니."

흥부는 작대기를 들고 쫓아갔습니다.

"수풀 우거진 곳곳에 개구리들도 많은데 구태여 왜 내 집까지 와서 새끼제비를 잡아먹니?"

구렁이를 쫓고 보니 여섯 마리는 간 데 없고 한 마리만 땅바닥에 떨어진 채 피를 흘리고 있었습니다.

"이런, 어린것이 얼마나 아플까?"

흥부는 새끼제비의 다리에 조기 껍질을 붙이고 실로 친친 감아 주었습니다.

흥부는 그 동안 제비와 정이 들어, 한 식구 같아 가슴이 아팠습니다.

흥부 아내와 자식들도 한결같이 가슴 아파했습니다. 며칠이 지나자 죽을 것 같았던 새끼제비가 차츰 기운을 차렸습니다. 흥부네 식구들도 덩달아 기운이 났습니다.

"지지배배, 지지배배."

십여 일이 지나자 제비는 전처럼 튼튼해졌습니다.

하늘 높이 날아오르기도 하고, 길게 맨 빨랫줄에 한들한들 앉아보기도 하고, 날개를 다듬으며 고운 소리로 노래도 하였습니다.

"이젠 다 나은 모양이구나."

흥부네 식구들은 제비의 재롱을 보며 크게 기뻐하였습니다.

곧 여름이 가고 가을이 왔습니다. 이슬이 서리되어 내릴 즈음, 제비는 고향 갈 준비를 하였습니다.

"부디 내년 봄에도
우리 집으로 오너라."

흥부네 식구들은 이별이
아쉬워 눈물을 흘렸습니다.
제비도 얼른 가지 못하고
머리 위를 빙글빙글 돌았습니다.

강남으로 돌아간 제비들은 먼저 왕에게 문안을 드렸습니다.

"넌 어째서 혼자냐, 다리는 왜 부러졌고?"

제비 왕은 흥부네 제비를 이상하게 생각했습니다.

"원래는 여러 형제였는데 구렁이에게 다 잡아먹히고 혼자만 남았습니다. 주인 흥부의 지성 어린 간병이 아니었으면 저도 살아 남지 못했을 것입니다."

"인간은 다 나쁜 줄만 알았는데 그렇게 착한 사람도 있었구나."

제비 왕은 크게 감동하여 박씨를 하나 내 주었습니다.

"이것으로 가서 은혜를 갚아라."

박타령

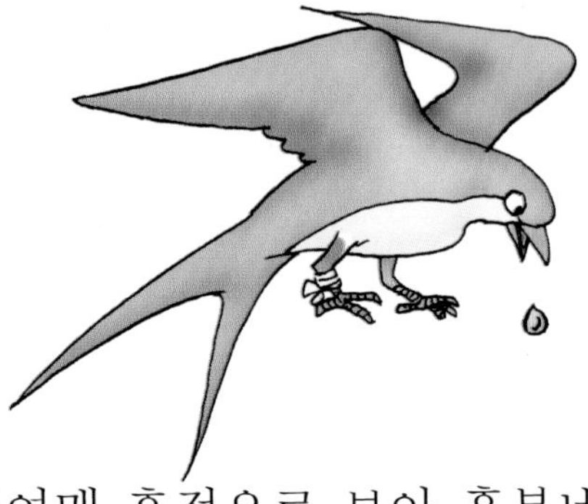

봄이 되자 강남 갔던 제비가 돌아왔습니다. 부러진 다리에 실로 동여맨 흔적으로 보아 흥부네 제비가 틀림없었습니다.

"아이고, 네가 돌아왔구나. 누추한 이 곳을 잊지 않고 다시 찾아왔구나."

흥부네 식구들은 제비를 보고 반가워서 어쩔 줄 몰라 했습니다. 제비도 흥부네 식구들 머리 위를 빙빙 돌았습니다. 그러다 입에 물고 있던 것을 툭, 떨어뜨렸습니다.

"이게 뭐지?"

"씨 아녜요?"

흥부와 흥부 아내는 제비가 떨어뜨린 것을 손바닥에 올려놓고 한참 동안 들여다보았습니다.

"박씨 같은데?"

"박씨건 뭐건 저 먹을 것
아닌 것을 물어오다니, 얼마나 기특해요."

흥부와 흥부 아내는 울타리 밑에 구덩이를 파고, 흙과 재를 잘 버무려 꼭꼭 박씨를 심었습니다.

며칠 후, 울타리 밑에서 박순이 나오더니 힘차게 가지를 뻗어 갔습니다. 흥부와 흥부 아내가 드문드문 순을 주어 지붕 위로 올렸더니 화창한 햇살과 단비 맞고 무럭무럭 자랐습니다. 가을이 되자 지붕 위에는 탐스러운 박이 세 통이나 열렸습니다. 보름달처럼 환하고 둥그런 박이었습니다. 굶주린 흥부네 가족에게는 더할 수 없이 귀한 박이기도 했습니다.

"여보, 저 박 좀 보시오. 큰놈은 항아리만 하지 않소. 얼른 저 박을 타서 박 속은 지져 먹고 박은 내다가 보리쌀과 바꿉시다."

흥부는 이웃집에서 도끼를 빌려와 박 꼭지를 찍어 내렸습니다. 그런 다음 둘이 마주앉아 박을 타기 시작했습니다.

"여보, 제비 덕분에 박이나마 타게 생겼으니 박타령이나 신나게 불러 봅시다."

흥부는 신이 나서 노래를 부르기 시작했습니다.

어기여라 톱질이야 / 당겨주소 톱질이야
이 박 저 박 모두 타서 / 쌀도 일고 물도 떠서
가지가지 잘 써보세 / 어기여라 톱질이야

박이 절반쯤 타졌을 때였습니다. 갑자기 박이 쩍 갈라지더니 박 속에서 푸른 옷을 입은 동자 둘이 나타났습니다. 흥부와 흥부 아내는 깜짝 놀라 뒤로 물러앉았습니다.

"이런 변이 있나, 박 속에서 아이들이 나오다니. 우리 식구도 굶는 판에 또 무슨 식구란 말인가."

흥부는 너무나도 기가 막혀 한숨이 나왔습니다.

"너무 걱정 마십시오. 저희는 제비 왕 심부름으로 약 몇 가지를 전해드리러 왔을 뿐입니다."

동자들은 병에 든 약을 내밀었습니다. 죽은 사람을 살리는 환혼주, 장님 눈뜨게 하는 개안주, 벙어리의 입을 열게 하는 개언초, 귀머거리 귀 열리게 하는 개이용, 죽지 않고 영원히 사는 불사약, 늙지 않고 항상 젊게 사는 불로초 등이었습니다. 흥부와 흥부 아내가 약을 살피는 동안 동자들이 홀연히 사라졌습니다.

"참으로 신기한 일이구려!"

박 속에는 반닫이도 들어 있었습니다. 하나는 농짝만하고 하나는 벼루집만한 것이었습니다. 농짝만한 데에는 쌀이 가득 들어 있고, 벼루집만한 데에는 돈이 가득 들어 있었습니다. 흥부 아내는 당장 밥을 지어 식구들에게 실컷 먹였습니다. 흥부의 자식들은 처음으로 밥을 원없이 먹어 보았습니다.

"어, 쌀이 또 있네!"

반닫이 속을 들여다 본 흥부 아이들이 소리쳤습니다.

"돈도 또 들었네!"

흥부와 흥부 아내가 반닫이 안을 들여다보았습니다. 아이들 말대로 과연 쌀과 돈이 그득그득 들어 있었습니다. 흥부의 그 많은 자식들이 아무리 퍼내어도 쌀과 돈은 줄어들지 않았습니다.

"어허, 그것 참 신기한 일이군."

"어디 다른 박도 타 봅시다."

흥부와 흥부 아내는 다시 박을 타기 시작했습니다.

어기여라 톱질이야 / 좋을씨고, 좋을씨고
밥 먹으니 좋을씨고 / 어기여라 톱질이야
돈 나오니 좋을씨고 / 어기여라 톱질이야

두 번째 박에서는 온갖 보물이 나왔습니다. 금패, 은패, 호박, 밀화, 산호, 진주, 청강석, 진옥, 수만호, 대모, 서각, 사향 등이 나오고, 삼층, 이층, 외층 장을 비롯하여 지농, 목농, 자개함농, 두지장, 앞닫이, 바느질상자, 반닫이, 병풍 등 세간살이도 쏟아져 나왔습니다. 일광단, 월광단, 공단, 대단, 모초단, 한단, 왜단, 영초단, 우단, 모단, 화한단, 상사단 등의 비단도 나왔습니다.

흥부네 식구들은 비단을 한 필씩 펼쳐들고 온몸에 휘휘 걸쳐 보았습니다.

"난 흑공단이 좋구려."

"나는 뭐가 좋을까요?"

"당신은 흰 비단이 좋겠구려."

"전 청색 비단을 두를래요."

서로서로 비단을 둘러 주기도 하였습니다. 뱅글뱅글 돌면서 휘감아 보기도 하였습니다. 그 덕분에 온 집안이 비단으로 뒤덮였습니다.

"남은 박도 마저 타봅시다."

흥부 아내가 신이 나서 세 번째 박을 타기 시작했습니다.

어기여라 톱질이야
여보소 벗님네들, 나의 노래 들어보소
세상에 좋은 것이 부부밖에 또 있는가
우리 부부 만난 후에 고생 고생 많이 했네
지난 날 생각하면 벌써 아니 죽었을까
부부 서로 못 잊어서 이 때까지 살았더니
천지신명 감동하사 박 속에서 옷, 밥 났네
이제부터 우리 부부 호의호식 즐겨보세

세 번째 박에서는 석수와 목수, 미장이, 도배공들이 수레에 돌과 나무와 흙 등을 잔뜩 싣고 나왔습니다.

"서두르세."

석수와 목수, 미장이, 도배공들은 돌을 다듬고 나무를 자르고 흙을 빚어 집을 올리기 시작했습니다. 집을 다 지어놓고 석수와 목수, 미장이, 도배공들은 순식간에 사라졌습니다.

"이게 웬 대궐이오!"

흥부네 식구들은 어리벙벙하여 집안을 둘러보았습니다. 아흔 아홉 칸 기와집에는 안채 별채 외에도 사랑채와 행랑채가 여러 채씩 있었습니다. 그 사이를 남녀 하인들이 바쁘게 오갔습니다.

"여기도 방이 있네."

"여긴 대청인가."

흥부네 식구들은 온 집안을 휘젓고 다니며 여기저기 두드려 보기도 하고, 쿵쿵 굴러 보기도 하고, 데굴데굴 굴러 보기도 했습니다.

놀부의 시샘

흥부가 부자가 되었다는 말은 놀부의 귀에까지 들어갔습니다. 놀부는 당장 흥부네 집으로 달려갔습니다. 흥부의 재산을 다 빼앗아 올 생각이었습니다. 재산은 있는 사람이 가져야 불어나는 법, 흥부같이 박복한 팔자에는 언제 없어질지 몰랐습니다.

그런데 막상 흥부네 집에 도착해 보니 빼앗고 빼앗기고 할 재산이 아닌 것 같았습니다. 이제껏 보지 못한 크고 으리으리한 집은 마치 임금님이 살고 있는 대궐과도 같았습니다.

놀부는 슬금슬금 대문을 지나 안으로 들어가 보았습니다. 안으로 들어갈수록 어디가 어디인지 모를 정도로 더욱 굉장했습니다.

"형님, 어서 오십시오."

흥부가 놀부를 보고 버선발로 달려나왔습니다.

"박복한 이 놈이 조상님과

형님 은덕으로 이렇게 부자가 되었습니다. 자식들과 함께 형님 댁에 가서 인사를 한 뒤 성묘를 하고자 날짜를 받아 놓았는데 형님께서 먼저 오셨으니 죄송합니다."

"너같은 부자가 나같이 가난한 놈 찾아오기가 쉽겠느냐. 그런데 도대체 어떻게 해서 이런 부자가 되었느냐?"

놀부가 가장 궁금하게 여기던 바였습니다.

흥부는 놀부를 큰방 아랫목에 모셔놓고 제비를 살려 준 것에서부터 박씨를 얻은 사연까지 모두 이야기하였습니다.

"그러니까 네가 가지고 있는 이 재물은 모두 강남 제비 나라의 것이렷다."

"그렇습니다."

흥부의 설명이 끝날 즈음 흥부 아내가 술상을 내왔습니다.

"아주버님, 참으로 오랜만입니다."

그러나 사뿐히 절을 올리는 흥부 아내를 놀부는 알아보지 못했습니다. 누더기 입은 것만 보다가 처음으로 비단 옷을 입었으니 당연한 노릇이었습니다.

"허, 뉘신가?"

"아이들 어미가 아닙니까."

"그렇게 몰라보시겠습니까?"

흥부와 흥부 아내가 활짝 웃어 보였습니다. 놀부는 새삼 흥부의 아내를 보았습니다. 옷이 날개라더니 비단 옷을 입은 흥부 아내는 참으로 점잖고 귀하게 보였습니다.

흥부 자식들도 차례로 들어와 인사를 하였습니다. 땟

국물이 줄줄 흐르던 아이들도 하나같이 부잣집 도련님으로 변해 있었습니다. 놀부는 공연히 심술이 났습니다.

그 때 이불을 덮고 있는 붉은 비단 보자기가 눈에 들어 왔습니다.

"이불도 부끄러움을 타나!"

놀부는 비단 보자기를 낚아채 화롯불에 던졌습니다. 그러나 비단 보자기는 재가 되기는커녕 빛깔만 더욱 고와졌습니다.

"아니, 이게 무슨 비단이 이러냐?"

"화한단이라고 합니다. 불쥐털로 짠 것이라 불에 타면 더 곱게 되지요."

"그거 나 다오."

"그러지요."

흥부는 선뜻 화한단을 내주었습니다. 놀부는 또 무엇을 가져갈까 주위를 돌아보았습니다.

"얘, 그 쌀 나오고 돈 나오는 반닫이도 다오."

욕심을 내어도 크게 내었습니다.

"부자가 된 밑천인데 어찌 둘 다 드리겠습니까. 하나씩 나눕시다. 어떤 것을 가지시겠습니까?"

"돈이 나오는 걸 가질란다."

"그러지요. 또 무엇을 가지시겠습니까?"

"다 가지면 좋겠다만 오늘은 바빠서 우선 이것만 가져가겠다. 그러나 생각나는 대로 기별할 테니 아깝게 생각하지 말고 연락받는 대로 즉시 보내거라."

놀부는 반닫이를 화한단 보자기에 싸서 손수 집으로 지고 갔습니다.

"여보 마누라, 이것 좀 보시오. 흥부 놈이 정말 부자가 되었구려. 그래서 내 그놈의 세간을 이렇게 빼앗아 왔소."

남편 소리에 놀부 아내가 달려 나왔습니다.

"이건 불에 타면 더 고와지는 비단이라오."

놀부는 아내에게 화환단을 보여 주었습니다.

"이건 퍼내어도 퍼내어도 자꾸 돈이 생기는 반닫이라오."

그런데 반닫이 문을 열어 보니 돈은커녕 싯누런 구렁이가 고개를 꼿꼿이 들고 긴 혀를 널름거리고 있는 것이 아니겠습니까.

"아이쿠, 이게 웬일이냐! 여봐라, 이것을 당장 내다가 불에 태워 버려라!"

놀부가 하인들에게 소리치자 놀부 아내가 얼른 막아섰습니다.

"나중에라도 그 흉한 것들이 돈 나는 반닫이를 주었다고 우기면 어쩌겠소. 당장 보자기에 싸서 도로 보내시오."

"당신 말이 옳소."

그렇게 해서 반닫이는 다시 흥부네 집으로 오게 되었습니다. 그런데 흥부네로 돌아온 반닫이에서는 다시 돈이 쏟아져 나오기 시작했습니다.

놀부의 욕심

재물을 빼앗아 오는 대신 놀부는 직접 제비를 들이기로 하였습니다. 그래서 신 잘 삼는 사람 십여 명을 삯꾼으로 들여 제비집 수백 개를 짓게 한 뒤 안채, 사랑, 행랑채, 곳간, 사당, 뒷간채의 앞뒤 처마에 달았습니다. 그 중 한 개에 제비 한 쌍이 날아들었습니다.

"왔구나, 왔어."

제비가 날아들던 날, 놀부는 덩실덩실 춤을 추었습니다. 제비는 놀부가 만들어 놓은 집에 둥지를 틀고 알을 여섯 개나 낳았습니다.

"아이고, 귀여운 것들."

그러나 놀부가 시도 때도 없이 들여다보고 만져보는 통에 모두 곯아버리고 겨우 하나만 새끼를 깠습니다.

"한 마리면 무슨 상관이냐."

그 날부터 놀부는 구렁이가 나타나기만 기다렸습니다. 그러나 봄이 다 가도록 구렁이는 나타나지 않았습니다.

"제발 그냥이라도 떨어져라."

새끼제비가 나는 공부를 하면서부터 놀부는 그냥이라도 떨어지기를 바랐습니다. 그러나 제비는 떨어지기는 커녕 하루가 다르게 높이 높이 날아올랐습니다. 결국 놀부는 구렁이도 포기하고 제비가 떨어지는 것도 포기했습니다. 직접 구렁이가 되어 제비를 떨어뜨리기로 한 것이었습니다.

어느 날, 놀부는 제비집에 손을 넣어 새끼제비를 꺼냈습니다.

"지지배배, 지지배배!"

놀부 손아귀에 잡힌 새끼제비가 안타깝게 울부짖었습니다. 어미제비도 공중을 돌며 어쩔 줄을 몰라했습니다.

"나는 구렁이, 나는 구렁이."

놀부는 구렁이처럼 팔을 꾸불텅꾸불텅 꼬았습니다.

그러다 갑자기 손가락 사이에 제비 다리를 끼우곤 꾹, 힘을 주었습니다.

"뚝!"

"지지배배!"

다리가 부러지는 순간 새끼제비는 온몸을 바르르 떨었습니다.

"아이고, 이게 웬일이냐, 못된 구렁이가 널 이렇게 만들었구나!"

놀부는 두 손으로 제비를 받쳐들고 펄쩍펄쩍 뛰었습니다.

"여보 마누라, 제비가 구렁이를 피하다 둥지에서 떨어졌소. 어서 어서 치료해 주구려."

놀부 아내는 흥부네보다 더 잘해 준다고 조기 껍질 대신 민어 껍질로 감싸주었습니다. 또 당사실은 가늘다고, 당팔사 주머니 끈으로 묶어 주었습니다. 그런 다음 집에 넣고 큰 포대기로 집 주위를 서너 겹이나 둘러 주었습니다. 가을이 되자 제비가 강남으로 돌아갈 준비를 하였습니다.

"제비야, 제비야, 내가 너를 살려 주었으니 그 은혜 잊어서는 안 된다. 흥부네 제비는 세 통 박씨를 주었으나 너는 부디 그 배인 여섯 통 박씨를 물고 오너라. 하루 빨리 은혜를 갚고 싶거들랑 삼월까지 기다리지 말고 정월 보름 안에 와도 된단다."

놀부는 벌써부터 부자가 될 희망에 부풀어 있었습니다.

제비의 복수

놀부의 바람대로 이듬해 봄이 되자 놀부네 제비도 박씨를 물고 왔습니다.

"옳지, 옳지. 어서 어서 박씨를 다오."

놀부는 양 손바닥을 활짝 벌리고 박씨를 받았습니다. 박씨를 떨어뜨린 후, 제비는 멀리 멀리 날아갔습니다. 그러거나 말거나 놀부는 서둘러 박씨를 심었습니다.

박씨는 그 날 오후부터 싹을 틔우고 가지를 뻗었습니다.

"될 성싶은 나무는 떡잎부터 안다더니, 이것이 곧 억만금 박덩이로 자랄 것이오."

놀부 소원대로 박은 여섯 개가 열렸습니다. 크기도 어찌나 큰지 여섯 개 모두가 거룻배만했습니다. 놀부는 마을에서 힘깨나 쓴다는 사람들을 불러와 박을 타게 했습니다.

박이 절반쯤 타졌을 때입니다. 갑자기 박이 쩍, 갈라지더니 노인 한 사람이 나왔습니다. 낡은 갓에 너덜너덜한 도포를 입은 노인이었습니다.

"흥부 박에서는 동자가 나왔다더니 내 박에서는 노인이 나오는구나. 형과 아우를 제대로 알아본 모양이군. 저 노인의 주머니 속에 든 게 모두 다 신기한 약이렷다."

놀부는 노인이 주머니 속에 든 것을 꺼내 주기만 바랐습니다.

"이놈 놀부야, 네 할아버지는 덜렁쇠, 네 할머니는 허튼덕이, 네 아비는 껄덕쇠, 네 어미는 허천례, 모두 다 내 종이었느니라. 병자년 팔월에 과거 보러 간 사이에 흉악한 네 아비 놈이 내 재산을 몽땅 갖고 도망쳤느니라. 내 너무 분해서 여러 해 동안 찾았더니 마침 조선에 왔던 제비가 너희 놈들 소식을 전해주더구

나. 자, 이제 재산을 몽땅 내놓거라."

노인의 호통에 놀부는 정신이 아찔했습니다.

"아이고 어르신, 제발 조용히 하십시오. 우리 집안 내력이 알려지면 저는 물론이고 저와 관련된 모든 사람들이 망신을 당하게 됩니다. 돈은 얼마든지 드리겠습니다."

놀부가 사정을 하자 노인은 작은 주머니를 하나 내놓았습니다.

"그렇다면 이 능천낭에 무엇이든 가득 채워 오너라."

주머니를 보고 놀부는 여간 다행스럽게 생각하지 않았습니다. 겨우 아이 손바닥만한 주머니였기 때문이었습니다. 그런데 막상 주머니에 돈을 넣기 시작하자 한도 끝도 없이 들어갔습니다. 엽전을 한 줌 넣고 두 줌 넣고, 열 줌을 넣어도 채워지지가 않았습니다.

“증거가 있더라도 사람이 죽으면 벌하지 않는 법인데, 증거도 안 가지고 빚을 받으러 오셨단 말입니까?”

“증거를 가지러 강남까지 갔다 오자면 일 년 정도 걸릴 텐데, 그 때까지 우리 식구 모두 여기서 먹고 자고 할 수 있겠나?”

장님 말에 놀부는 당장 육천 냥을 내놓았습니다. 그러자 장님과 앉은뱅이들이 한순간에 사라졌습니다.

“처음에 나쁘면 뒤가 좋다고, 세 번째 박을 타보게나.”

그렇게 혼나고도 놀부는 다시 박을 타게 하였습니다.

세 번째 박에서는 사당패가 나왔습니다. 사당패들은 놀부집 마당에서 소고 치고 장구 치며 한바탕 놀이마당을 펼쳤습니다.

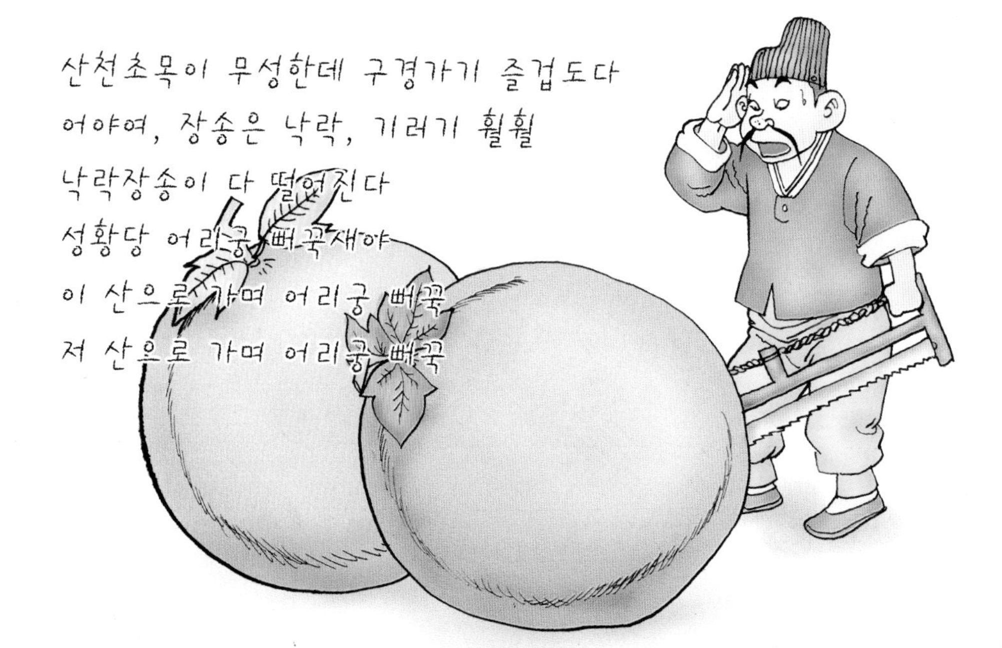

놀부는 사당패 하나 하나에게 일백 냥씩 주어 보냈습니다. 이어 네 번째 박에서는 각설이패가 나왔습니다. 각설이들도 한바탕 놀이부터 시작했습니다. 놀부는 각설이 패들에게도 돈을 주어 쫓아보냈습니다.

"애고 애고, 박 네 통 타고 집안이 쫄딱 망하는구나."

놀부 아내가 대성통곡을 했습니다. 박을 타던 삯꾼들도 더 이상 박을 탈 생각이 없어졌습니다.

"이제 그만 탑시다. 그 많은 재산을 하루 아침에 탕진하고도 아직도 모르겠소?"

"대장부가 한번 칼을 뺐다가 도로 꽂는다는 것은 말이 안 되네. 무엇이 나오든지 내 끝까지 타 보겠네."

놀부가 고집을 피워 기어이 다섯 번째 박을 타게 되었습니다. 다섯 번째 박이 절반쯤 타지자 긴 가마채가 밖으로 뾰쪽하게 나왔습니다.

"옳지, 선녀가 가마 타고 하강하는가 보구나."

놀부는 잔뜩 기대를 하고 박을 지켜보았습니다. 그러나 그것은 선녀를 실은 가마가 아니라 송장을 실은 상여였습니다. 상여를 따라 긴 장례 행렬이 이어져 나왔습니다.

워허워허, 워허워허
강남에서 여기까지 수천 리에 고생도 하였더니
금강산 구월산 지리산 묘향산은 갈 수 없고
가다가 저물겠다, 어서 가자 놀부 집으로
워허워허, 워허워허

상여꾼들은 상여를 매고 놀부네 안방으로 들어갔습니다.

"주인 놀부는 어디 갔나? 큰 병풍 치고 제상 놓고, 촛

불 켜고, 향로에 불 피우지 않고!"

상여꾼의 호통에 놀부는 얼른 앞으로 달려나갔습니다.

"대체 어느 댁 상여인지요?"

"첫번째 박에서 나온 어르신 상여라네. 어르신 말씀이 이 집터가 명당이라네. 행여 자네가 의심하거들랑 이것을 보이면 알 것이라고 하셨네."

상제는 소매에서 능천낭을 슬그머니 내놓았습니다. 그것을 보고 놀부는 질겁을 하였습니다.

"그 어르신이 돌아가실 때 정신이 없으셨나 봅니다. 이 집터가 명당이라면 하루 아침에 이렇게 망할 리가 있겠습니까? 제발 제가 비용을 부담할 테니 다른 곳에 가십시오."

놀부는 논밭문서를 잡혀 돈 삼만 냥을 빚내어 상제에게 주었습니다.

"저 남은 박은 그만 갖다 버립시다."

놀부 아내가 다시 사정했습니다. 놀부도 이제는 더 이상 박 탈 생각이 없었습니다. 그런데 이번에는 박이 저절로 열리기 시작했습니다.

"박이 저절로 타지는 법도 있네!"

놀부와 놀부 아내는 잔뜩 겁에 질려 뒤로 물러나 앉았습니다. 삯꾼들도 멀찌감치 물러나 지켜보았습니다. 곧 박이 갈라지며 먹빛 같은 얼굴에 범의 수염을 단 장수가 나왔습니다. 그 뒤로 군사들이 꾸역꾸역 쏟아져 나왔습니다.

"여봐라, 놀부 놈을 당장 끌어내렷다!"

장수의 호통에 박을 타던 삯꾼들이 놀라 기절하거나 도망쳐 버렸습니다.

"대체 뉘신데 이러십니까?"

군사들 손에 끌려나온 놀부가 부들부들 떨며 물었습니다.

"나로 말할 것 같으면 유비, 관우와 함께 도원에서 결의한 성은 장이요, 이름은 비라는 사람이로다."

장비라면 놀부도 잘 알고 있었습니다.

"장군께서 어쩐 일로 저희 집에 다 오셨습니까?"

"이놈아, 천하에 가장 중한 것이 형제간의 우애인데, 네 놈은 어찌하여 하나밖에 없는 아우를 그리 박대하였느냐?"

서릿발 같은 장비의 추궁에 놀부는 할 말이 없었습니다.

"목숨만 살려 주신다면 이제부터라도 옛날의 잘못을 고쳐 형제간에 우애하고, 이웃에 화목하겠습니다."

"네가 그렇게 눈물을 흘리며 사정하니 이번만은 특별히 용서하겠다. 이제부터라도 마음을 고쳐먹고 착하게 살면 재물을 주어

다시 부자가 되게 하고, 그렇지 않으면 바로 와서 끌고 갈 테니 명심하거라."

한바탕 호통을 친 후, 장비와 군사들은 순식간에 사라졌습니다. 뒤늦게 정신을 차린 놀부는 천천히 집안을 돌아보았습니다. 남은 것이라고는 아무 것도 없었습니다.

"아이고, 망했구나!"

놀부 아내가 바닥에 주저앉아 통곡을 했습니다.

"이렇게 허무하게 날릴 재산인 줄 알았으면 시동생 양식 꾸러 왔을 때 인심이나 쓸 것을."

"뒤늦게 후회한들 무슨 소용이 있겠소."

아내의 탄식에 놀부도 눈물을 흘렸습니다.

소식을 듣고 흥부가 달려왔습니다. 흥부는 놀부와 놀부 아내를 위로한 뒤 재산의 반을 떼어 주었습니다.

"내가 너 볼 낯이 없구나. 부디 용서하거라."

"형제간에 용서하고 말 게 어디 있습니까?"

"네가 형이고 내가 아우였다면 이렇게 부끄럽지는 않았을 것을."

놀부는 흥부의 손을 잡은 채 오래도록 놓지 못했습니다.

읽고 나서

〈**흥부전**〉은 조선 영조 때 판소리로 엮어진 것입니다.

흥부는 수많은 어려움을 겪으면서도 착한 마음을 잃지 않았습니다. 반면 놀부는 가난한 동생을 돕기는 커녕 구박만 하였습니다. 그 결과 흥부는 복을 받고 놀부는 벌을 받았습니다.

이 이야기의 주제는 '서로 돕고, 더불어 살아야 한다'는 것입니다. 혼자만 잘 살고 혼자만 편안하다면 그것은 진정한 행복이라고 할 수 없습니다. 작은 것이라도 함께 나누는 마음이 중요합니다. 특히 부모 형제간에는 더욱 그렇지요.

이 이야기에서 진정으로 복을 받은 사람은 누구일까요?

물질적인 것만 생각한다면 흥부일 것입니다. 그러나 놀부도 흥부 못지 않게 복을 받았습니다. 비록 혼이 나긴 했지만 형제간의 우애를 알게 되었으니까요.

심청전

선녀가 내려오다

스무 살 전에 앞을 못 보게 된 심학규라는 사람이 있었습니다. 앞을 못 보게 되니 벼슬길이 끊어지고 살림도 어려워졌습니다. 그러나 양반의 후손답게 행실이 바르고 지조가 곧아 주위의 칭찬이 자자하였습니다.

아내인 곽씨 역시 매우 어질었습니다. 남편 대신 어려운 살림을 맡아 하면서도 불평 한 마디 하지 않았습니다. 오히려 아이를 낳지 못해 항상 미안한 마음을 갖고 있었습니다.

"여보, 마누라."

하루는 심 봉사가 아내를 불렀습니다.

"마흔 살이 넘도록 슬하에 자식 하나 없으니 죽어서 무슨 낯으로 조상을 볼지 모르겠소."

"삼천 가지 죄 중에서 자식 낳지 못하는 것이 그 중 으뜸이라는데, 다 제 탓이에요."

곽씨는 몸둘 바를 몰라했습니다.

"자식 없는 게 어디 당신 탓만이겠소? 내 지나가는

소리로 한 말이니 너무 신경 쓰지 마시오."

"아녜요. 마땅히 내쫓길 일인데도 당신의 넓은 마음으로 지금까지 살아오고 있어요. 지금이라도 자식만 낳을 수 있다면 살을 베고 뼈를 깎겠어요."

"당신 마음이 그렇다면 내일부터라도 명산대찰에 공을 들여 아들이든 딸이든 낳아 봅시다."

심 봉사 말대로 다음날부터 곽씨는 품팔아 모은 재물로 지성을 드리기 시작했습니다.

그러던 어느 날, 낮잠을 자는 중에 꿈을 꾸었습니다.

무지개가 영롱한 가운데 하늘에서 선녀가 학을 타고 내려오는 꿈이었습니다.

"저는 서왕모의 딸입니다. 옥황상제께 복숭아를 진상하러 가는 길에 옥진비자를 만나 노닥거린 죄로 인간 세상에 내려오게 되었습니다. 부디 어여삐 받아주소서."

선녀가 갑자기 곽씨 품안으로 파고들었습니다. 심 봉사 역시 같은 꿈을 꾼 터라 태몽이라 생각하고 좋아하였습니다. 과연 곽씨는 그 달부터 태기가 있어 열 달 후에는 예쁜 아기를 낳았습니다. 아기를 낳는 순간, 갑자기 방안에 향기가 진동하고 오색 무지개가 떴습니다.

"딸입니까, 아들입니까?"

곽씨가 정신을 차리고 물었습니다.

"예쁜 딸이구려."

"그토록 공을 들여 늘그막에 얻은 자식이 고작 딸이란 말이에요?"

딸이라는 말에 곽씨는 몹시 실망하였습니다.

"그런 말 마시오. 딸도 잘 기르면 어느 아들 못지않소."

심 봉사는 얼른 국밥을 지어 산모에게 먹인 뒤 아기를 어르기 시작했습니다.

금자동아 옥자동아, 어허간간 내 딸이야
포진강 숙향이가 네가 되어 살아왔나
은하수 직녀성이 네가 되어 내려왔나
남전북답 장만한들 이보다 더 반가우며
산호진주 얻은들 이보다 더 반가울까
어디 갔다 이제 왔느냐
금자동아 옥자동아, 어허간간 내 딸이야

좋은 일 끝에 나쁜 일이라고, 아기를 낳은 지 사흘 만에 뜻밖에도 곽씨가 산후병을 얻고 말았습니다. 해산하고 바로 바깥바람을 쐰 탓이었습니다. 병세가 점점 심해지자 심 봉사는 건넛마을에서 의원을 모셔 왔습니다. 천문동, 맥문동 등 온갖 약을 구해오기도 하였습니다. 그러나 죽을 병에는 약이 없는 법, 곽씨의 병은 점점 깊어만 갔습니다.

자리에 누운 지 나흘 만에 곽씨 부인이 심 봉사를 불러 앉혔습니다.

"앞 못 보는 당신에게 이 어린 것을 맡겨 놓고 가자니 죽어서도 눈을 감을 수 없을 것 같아요."

곽씨 눈에는 벌써 밥 얻으러 나갔다가 구덩이에 빠지고 돌에 채여 넘어지는 심 봉사의 모습이 눈에 선했습니다.

"아이 이름은 청이라고 짓고, 나중에 아이가 걷기 시작하거든 저 묻힌 곳으로 데려와 인사라도 시켜 주세요. 내가 끼던 옥가락지 끼우고 내가 차던 비단 주머니를 채워서 꼭 데려와 주세요."

곽씨는 아이의 얼굴을 쓰다듬었습니다.

"애고 애고, 불쌍해라. 어미 죽고 나면 누구 젖 먹고 자라려나."

곽씨는 아이를 끌어다 젖을 물렸습니다. 그러나 곧 딸꾹질을 두 번 하더니 마지막 숨을 넘겼습니다.

"이 마누라가 참말로 죽었는가?"

심 봉사는 갑자기 당한 일이어서 어쩔 줄을 몰라했습니다. 허둥거리며 가슴을 짚어보고 코에 손가락을 대어 보았습니다. 그러나 이미 숨을 거둔 곽씨의 심장이 뛸 리 없고 더운 숨이 나올 리 없었습니다.

"당신이 살고 내가 죽어야지, 어찌 내가 살고 당신이 죽는단 말이오?"

심 봉사의 울음소리에 동네 사람들이 몰려와 함께 슬퍼해 주었습니다.

"그토록 얌전하던 곽씨 부인이 죽다니!"

"우리 모두 한 푼씩 내어 장례라도 치러줍시다."

동네 사람들은 수의와 관을 마련하여 양지바른 곳에 곽씨를 묻어 주었습니다.

젖 동냥 밥 동냥

'죽은 사람은 다시 살아올 수 없는 법, 남기고 간 이 자식이나 잘 키워내리라.'

곽씨 생각에 식음을 전폐했던 심 봉사가 문득 마음을 돌렸습니다. 그 때부터 심 봉사는 부지런히 젖 동냥을 다니기 시작했습니다. 눈이 어두워 보지는 못하고 귀로 듣고 눈치로 가늠하여 어린 아이가 있는 집에 찾아가,

"아주머니, 이 아이 젖 좀 먹여주시오. 어미 없는 불쌍한 아이라오. 댁네 귀하신 아기 먹이고 남은 젖이 있거들랑 이 아이에게 좀 먹여 주시오."

하니 아무도 거절하지 못했습니다. 빨래터나 우물가로도 찾아다녔습니다. 젖을 많이 얻어 먹인 날이면 자신의 배가 부른 양 심 봉사는 좋아서 흥얼흥얼 콧노래를 부르기도 하였습니다.

젖을 얻어 먹인 뒤에는 밥 동냥을 다녔습니다. 주는 대로 쌀도 받고 벼도 받았습니다. 장날이면 가게마다 다니며 한 푼 두 푼 돈도 받았습니다.

세월은 강물처럼 흘러 어느덧 청이 나이 일곱 살이 되었습니다. 어머니 없이 자랐어도 행동거지가 반듯하고 얼굴이 아름다워 보는 사람마다 주위의 칭찬이 자자했습니다.

어느 날, 청이는 심 봉사 앞에 반듯하게 앉았습니다.

"이제 제 나이 일곱이나 되었으니 밥 빌어 오는 일은 제게 맡기세요."

심 봉사는 어린 청이가 대견했습니다.

"어린 네가 빌어오는 밥을 어찌 내가 앉아서 받아 먹겠느냐. 다시는 그런 말 말거라."

"자로는 백 리 길에 쌀을 져다 부모를 봉양했고, 제영이는 낙양 감옥에 갇힌 아버지를 위해 제 몸을 팔았다는데, 동냥하는 일쯤이야 아무것도 아니지요."

청이가 뜻을 꺾지 않자 심 봉사는 마지못해 허락을 했습니다.

굴뚝에서 연기가 피어오를 즈음, 청이는 바가지를 들고 집을 나섰습니다.

"눈 어두우신 아버지를 봉양하고 있습니다. 부디 동정 베풀어 밥 한 술 덜어 주십시오."

청이가 내민 바가지에 이집 저집에서 밥 한 술씩 덜어 주었습니다. 간혹 방에 들어와서 먹고 가라며 손을 끄는 사람도 있었습니다.

"고마우신 말씀이나 아버지께서 기다리고 계십니다."

그럴 때마다 청이는 공손하게 거절했습니다.

"그래, 춥지는 않았느냐?"

청이가 돌아오자 심 봉사는 손을 끌어다 호호 입김을 불어 주었습니다. 발도 어루만져 주었습니다.

"모진 목숨 죽지 않고 살아서 너 고생만 시키는구나."

"자식으로서 부모를 봉양하는 것은 당연한 이치이거늘 그게 무슨 말씀이세요?"

청이는 얻어온 밥을 그릇에 담아 정성스레 상을 차렸습니다.

"이것은 김치고, 이것은 간장이에요, 많이 잡수세요."

심 봉사는 청이가 떠준 밥에 눈물 콧물 섞어가며 맛도 모르고 먹었습니다.

공양미 삼백 석

세월이 흘러 어느덧 청이 나이 열다섯 살이 되었습니다. 청이에 대한 소문은 이미 온 고을에 자자하여 무릉촌 장 승상 댁에까지 들어갔습니다.

어느 날, 승상 댁 부인이 청이를 불렀습니다. 청이는 미리 밥상을 보아두고 승상 댁 부인이 보낸 하인을 따라갔습니다.

"네가 청이로구나. 과연 듣던 대로다."

아리따운 청이의 모습에 부인이 칭찬했습니다.

"내 말을 잘 듣거라. 승상께서 일찍이 세상을 버리시고, 아들들은 서울에 가 벼슬하니 내 사는 게 쓸쓸하구나. 그래서 너를 수양딸 삼아 살림도 가르치고 글공부도 시키면서 친딸같이 길러 말년 재미 좀 보려하는데 네 뜻이 어떠하냐?"

청이는 대답하기 전에 먼저 큰절을 올렸습니다.

"제 팔자가 기구하여 태어난 지 이레 만에 어머니를 잃고 눈 어두운 아버지가 동냥한 젖을 먹고 자랐습니다. 이런 미천한 저를 부인께서 수양딸로 삼으려 하시니 어머니를 다시 뵈온 듯 감격하여 어찌할 바를 모르겠습니다. 그러나 제가 부인의 수양딸이 되면 눈 어두우신 우리 아버지는 누가 돌봐 드리겠습니까? 말씀은 고맙고도 고마우시나 제 몸이 다하도록 아버지를 모시려 합니다."

공손하고도 사리에 맞는 말이었습니다. 승상댁 부인은 함박 웃음을 지은 채 연신 고개를 끄덕였습니다.

"내가 늙고 정신이 없어서 미처 거기까지는 생각하지 못했구나."

부인은 섭섭한 마음도 잊고 옷감과 양식을 후히 내주었습니다.

한편 청이를 찾아 나선 심 봉사는 개천 위 외나무다리에서 발을 헛디뎌 물 속으로 풍덩, 빠지고 말았습니다.

"아이고, 사람 살려!"

차가운 물 속에서 빠져 나오려고 심 봉사는 허우적거렸습니다. 하지만 앞이 안 보이니 어디를 잡고 어디를 디뎌야 할지도 몰랐습니다. 게다가 이미 날이 저물어 지나가는 사람도 없었습니다.

"사람 살려!"

심 봉사는 있는 힘껏 소리쳤습니다. 마침 마을에 내려왔던 몽운사 스님이 심 봉사의 소리를 듣고 달려왔습니다. 절을 새로 지으려고 시주자를 찾아 나섰던 길이었습니다. 스님은 바위 위에 바랑을 휙, 던져놓고 심 봉사를 끌어냈습니다.

"뉘시오?"

물 속에서 나오자마자 심 봉사가 물었습니다.

"몽운사 화주승이오."

스님은 심 봉사를 업어다 방안에 앉혔습니다.

"눈도 어두운 양반이 어두운 길을 왜 나섰소?"

"무릉촌 장 승상 댁에 불려간 무남독녀 외동딸이 돌아오지 않아서 찾아나선 길이라오. 태어난 지 이레 만에 어미를 잃고, 이 늙은이가 업고 다니면서 젖 동냥으로 키운 불쌍한 아이라오."

심 봉사는 신세를 한탄하듯 그 동안 살아온 이야기를 하였습니다.

"남들처럼 앞만 볼 수 있다면 내 무슨 일을 하여서라도 남부럽지 않게 키우련만."

"공양미 3백 석만 있으면 눈을 뜰 수 있으련만."

심 봉사의 말끝에 스님이 중얼거렸습니다.

"그게 무슨 소리요?"

심 봉사는 청이까지 걱정시킬 필요가 없다고 생각했습니다.

"그게 무슨 말씀이세요? 그 동안 아버지는 저를 믿고 저는 아버지를 믿어 크고 작은 일을 의논해 왔는데 갑자기 무슨 말씀이세요?"

"너를 속이려는 게 아니라 네가 알게 되면 걱정할 것이기에 그런다."

"들어도 걱정, 안 들어도 걱정이라면 듣고 걱정하겠어요. 어서 말씀해 보세요."

거듭되는 청이의 성화에 심 봉사는 저녁에 있었던 일을 이야기했습니다.

"그런 일이라면 걱정 마시고 진지나 잡수세요. 시주하고 후회하면 정성 드리는 게 아니지요. 아버지가 눈만 뜨신다면 공양미 3백 석이 문제겠어요? 제가 어떻게 해서든 마련하여 몽운사로

올릴게요."

걱정은커녕 크게 기뻐하는 청이 모습에 심 봉사는 어리둥절했습니다.

"네가 무슨 수로 공양미 삼백 석을 마련할 수 있겠느냐?"

"왕상은 얼음을 깨서 잉어를 얻었고, 곽거는 부모를 위해 자식을 땅에 묻으려다가 금항아리를 얻었다잖아요. 제 효성이 비록 옛 사람들만 못하지만 지성이면 감천이라고, 틀림없이 길이 있을 거예요."

그 날부터 청이는 새벽마다 목욕재계한 후 북쪽 하늘을 향해 빌었습니다.

"비나이다, 비나이다, 천지신명께 비나이다. 공양미 3백 석 속히 마련하게 하옵소서. 눈 어두운 우리 아비 속히 눈뜨게 하옵소서."

청이의 기도 소리에 별들이 파르르 떨며 지곤 했습니다.

인당수의 제물

어느 날, 남경으로 장삿길을 나선 상인들이 열다섯 살 난 처녀를 사려 한다는 소문이 들려왔습니다. 청이는 귀가 번쩍 뜨여 귀덕어미를 시켜 까닭을 묻게 하였습니다.

"남경으로 장사하러 가는 길에 인당수를 무사히 건너고자 제물로 바칠 처녀를 구하는 것이오. 몸을 팔려는 처녀가 있으면 값을 아끼지 않고 주겠소."

처녀를 제물로 바치면 인당수를 무사히 건널 뿐 아니라 수만 금의 이익도 낸다고 하였습니다. 청이는 당장 상인들을 찾아갔습니다.

"나는 이 동네 사람인데 앞 못 보는 우리 아버지 눈을 뜨게 하려면 공양미 3백 석이 필요하답니다. 그러나 장만할 길이 없어 내 몸을 팔려하니 나를 사 가는 것이 어떻겠습니까?"

"3월 보름에 떠나는데 괜찮겠소?"

"이미 몸을 판 마당에 언제 간들 무슨 상관이 있겠습니까. 다만 아버지와 이별의 정만 풀 수 있으면 됩니다."

청이의 효성에 감동한 남경 상인들은 즉시 쌀 3백 석을 몽운사로 날라다 주었습니다.

"공양미 3백 석을 몽운사에 보냈으니 이제는 걱정 마세요."

다음날, 청이가 심 봉사에게 말했습니다.

"그게 무슨 말이냐?"

심 봉사는 청이의 말을 얼른 믿지 않았습니다.

"달포 전에 장 승상 댁 노부인께서 저를 수양딸로 삼고 싶다고 하셨는데, 제가 허락하지 않았어요. 그러나 공양미 3백 석을 마련할 길이 없어 수양딸로 팔려 가기로 했어요."

"그거 참 고마운 일이로구나. 승상 댁이라니 네게도 잘된 일 아니더냐. 양반의 자식으로 몸을 팔았단 말이 듣기 고약하다만 승상 댁 수양딸로 팔린 거야 어떻겠느냐. 그래 언제 가느냐?"

"다음달 보름에 데려간대요."

"참으로 잘 되었구나."

아무 것도 모르고 좋아하는 심 봉사의 모습에 청이는 가슴이 찢어질 듯 아팠습니다. 그러나 이미 엎질러진 물이요, 쏘아 논 화살이었습니다.

'죽기 전에 아버지 옷이나 지어놓아야겠다.'

그 날부터 청이는 심 봉사의 사철 의복을 짓기 시작했습니다. 무명에 솜을 넣어 겨울옷도 짓고, 삼베로 시원하게 여름옷도 지었습니다. 또 홑겹으로 봄가을 옷도 지었습니다. 청목으로 갓끈도 접고 망건도 꾸몄습니다. 그러다 보니 약속한 날짜가 바짝 다가왔습니다.

떠나기 전날, 밤은 깊어 삼경인데 청이는 도무지 잠을 이룰 수가 없었습니다. 아무리 효녀라 해도 죽을 일을 생각하니 눈앞이 깜깜했습니다.

'마지막으로 아버지 버선이나 지어야겠다.'

불을 밝히고 청이는 바늘과 실을 꺼냈습니다. 그러나 눈물이 앞을 가려 실을 꿸 수가 없었습니다.

'무슨 팔자가 이리도 기구하여 이레 만에 어머니 여의고 열다섯에 아버지와도 이별할까. 돌아가신 어머니는 황천에 가 계시건만 나는 수궁으로 갈 터인데 우리 모녀 죽어서도 못 만난단 말인가.'

청이는 심 봉사 곁에서 꼬박 밤을 새웠습니다. 통곡이라도 하고 싶었지만 심 봉사가 깰까 싶어 가슴만 쥐어뜯는데, 새벽닭 우는 소리가 들려왔습니다.

"닭아 닭아, 우지 마라. 네가 울면 날이 새고, 날이 새면 나 죽는다. 나 죽기는 서럽지 않으나 의지할 데 없는 아버지를 어찌 잊고 간단 말이냐?"

청이는 아침밥을 짓기 위해 부엌으로 갔습니다. 그런데 벌써 남경 상인들이 사립문 밖에 와 있었습니다.

"배 떠나는 날이니 얼른 준비하시오."

상인들의 소리에 청이는 정신이 아득해졌습니다.

"오늘이 배 떠나는 날인 줄은 이미 알고 있습니다. 하지만 우리 아버지는 아직 아무 것도 모르십니다. 만일 아시게 되면 야단이 날 것이니 잠깐 기다리시면 마지막으로 진지나 지어드리고 가겠습니다."

청이가 눈물로 사정하니 상인들이 이해하고 물러났습니다. 청이는 서둘러 밥을 지어 심 봉사에게 올렸습니다.

"많이 잡수세요."

청이가 자반도 떼어 주고 고기도 얹어 주자 심 봉사는 넙죽넙죽 받아 먹으며,

"오늘은 반찬이 유난히 좋구나. 뉘 집 제사 지냈냐?"

하는데, 청이는 눈물만 흘릴 뿐이었습니다.

"그런데 아가, 간밤에 꿈을 꾸니 네가 큰 수레를 타고 한없이 가는 것이 보이더구나. 수레라 하는 것이 귀한 사람이 타는 것이니 아마 네게 좋은 일이 있으려나 보다."

"그런 것 같아요."

"장 승상 댁에서 너를 수레로 모셔가려나?"

"그럴지도 모르겠어요."

청이는 제가 죽는 꿈인 줄 뻔히 알면서도 그렇게 둘러댔습니다. 상을 물린 후, 청이는 심 봉사에게 큰절을 올렸습니다. 그리곤 그대로 엎어져 통곡을 하였습니다.

"아가, 무슨 일이냐?"

심 봉사가 더듬더듬 다가와 청이를 안아 일으켰습니다.

"대체 무슨 일이냐? 어서 말해 보거라."

"못난 딸자식이 아버지를 속였어요. 공양미 3백 석을 누가 저에게 주겠어요. 인당수 제물로 제 몸을 팔아 마련한 것이지요. 오늘 먼길 떠나는 날이니 부디 안녕히 계세요."

"애고 애고, 이게 웬말이냐? 어찌 묻지도 않고 그런 일을 정했단 말이냐? 눈을 팔아 너를 사지, 너를 팔아 눈을 사겠느냐?"

방안은 삽시간에 울음바다로 변하였습니다.

"자식 잃고 내가 살아서 무엇하겠느냐!"

심 봉사는 청이를 잡고 놓아주지 않았습니다.

"더 이상 지체할 시간이 없소."

어느 새 남경 상인들이 문 밖에 와 있었습니다. 남경 상인들은 심 봉사가 청이를 잡고 놓아주지 않자 애가 닳았습니다.

"네 이놈들아, 장사도 좋지만 사람 사다 제사 지내는 법이 어디 있느냐? 철모르는 어린 아이를 유인하여 돈을 주고 산단 말이냐? 꼭 제물을 삼을 양이면 차라리 나를 데려가라."

심 봉사가 상인들에게 달려들자 청이가 붙잡았습니다.

"아버지, 고정하세요. 저는 기왕 죽지만 아버지는 눈을 떠서 밝은 세상 보셔야죠. 부디 못난 딸자식은 생각지 마시고 좋은 분 만나서 아들 딸 낳고 행복하게 사세요."

심 봉사와 청이의 애절한 이별에 남경 상인들도 눈물을 지었습니다.

"봉사님 굶지 않고 헐벗지 않도록 우리가 한 살림 꾸며주면 어떻겠소?"

"좋소이다."

상인들은 그 자리에서 쌀 3백 석과 돈 3백 냥, 무명 한 동, 삼베 한 동을 내놓았습니다. 그리곤 동네 사람들을 불러모았습니다.

"쌀 2백 석과 돈 3백 냥은 착실한 사람에게 주어 관리하게 하고, 쌀 20석은 올해 양식으로 남겨두고, 나머지는 빚을 주어 해마다 그 이자로 양식을 삼게 해 주시오. 무명과 삼베로는 의복을 장만해 드리도록 하시오. 이런 내용을 관청에 공문으로 보내고 마을에도 널리 알리십시오."

모든 일을 마무리 짓고 떠나려고 할 때, 승상 댁 부인이 급히 사람을 보내 왔습니다. 상인들의 양해를 구해 부인을 만나러 가니 부인이 문 밖에 나와서 기다리고 있었습니다.

"나는 너를 자식으로 알았는데 너는 나를 어미로 알

지 않았구나. 공양미 3백 석에 눈을 뜨는 것도 좋겠다만 네가 살아 있는 것만 하겠느냐? 진작에 나와 의논했더라면 오죽이나 좋겠느냐. 내 이제라도 쌀 3백 석을 내어 줄 것이니 상인들에게 돌려주거라."

"말씀 못 드린 것을 이제 와서 후회한들 무슨 소용 있겠습니까? 부모를 위해 공을 드리는 터라 명분 없는 재물을 바랄 수가 없었습니다. 그렇다고 이제 와서 쌀 3백 석을 도로 내어주면 상인들이 낭패를 볼 것이며 한번 한 약속을 어기는 것은 못난 사람들이나 하는 짓이라고 생각합니다. 하지만 부인의 하늘 같은 은혜는 저승에 가서도 결코 잊지 않겠습니다."

의연한 청이의 모습에 부인은 더 말릴 수가 없었습니다. 청이는 부인에게 하직 인사를 하고 상인들에게 돌아왔습니다.

"차라리 날 죽이고 가거라."

심 봉사는 청이를 안고 뒹굴었습니다.

"어느 자식이 부모 앞에서 죽고 싶겠어요. 하지만 살고 죽는 것은 하늘이 정한 것이니 어찌하겠어요?"

동네 사람들이 심 봉사를 붙든 사이에 청이는 상인들을

따라갔습니다. 하늘도 청이의 심정을 헤아렸는지 맑던 하늘이 갑자기 어두워졌습니다.

한 걸음 걷고 뒤돌아보고, 두 걸음 걷고 눈물 짓는 사이에 청이 일행은 드디어 강가에 이르렀습니다. 상인들은 뱃머리에 판자를 걸쳐놓고 청이를 배로 끌어 올렸습니다.

"둥둥둥!"

북소리를 신호로 배가 두둥실 먼바다를 향해 나갔습니다. 곧 거친 물결이 일면서 갈매기들이 어지럽게 날아다녔습니다.

어야디야, 어야디야
어기어차 어서 가자,
앞산은 점점 가까워지고
가자 가자 어서 가자
뒷산은 점점 멀어만 가네
어야디야, 어야디야

사공의 노랫소리에 힘차게 나가던 배가 멈추니 그 곳이 바로 인당수였습니다. 조용하던 바다에 갑자기 거센 파도가 일면서 일천 석을 실은 배가 곧 뒤집힐 듯 요동을 쳤습니다. 뱃사람들은 하나같이 겁을 내어 급히 밥을 짓고 소와 돼지를 잡았습니다.

"비나이다, 비나이다, 여기 모인 스물넷 장사꾼 인당수 용왕님께 비나이다. 열다섯 살 효녀 심청을 제물로 드리오니 사해 용왕님은 고이고이 받으소서."

이윽고 남경 상인들이 청이를 앞으로 이끌어냈습니다. 청이는 상인들에게 인사하고 뱃전에 올랐습니다.

“심 낭자는 시각이 급하니 어서 물에 드시오!”

도사공의 고함소리에 청이는 두 손을 합장했습니다.

“비나이다, 비나이다, 천지신명께 비나이다. 이 죽음 헛되지 않게 부디 우리 아비 눈을 뜨게 해 주옵소서.”

청이의 치맛자락이 바람에 몹시 흩날렸습니다.

“홀로 남겨진 우리 아비 천지신명께서 보살피시어 만수무강하게 해 주옵소서. 눈 뜨고 새 살림 이루어 아들 딸 낳고 잘 살게 하옵소서.”

애끓는 하소연에 상인들마저 모두 눈물지었습니다. 청이는 눈을 꼭 감고 합장한 손을 가슴에 끌어 모았습니다. 그런 다음 치마를 뒤집어 썼습니다.

“아버지, 저 갑니다.”

청이가 몸을 날리자 마치 꽃잎이 물에 떨어지는 듯했습니다. 곧 배를 부술 것같이 몰아치던 파도가 멈추고 물결이 잔잔해졌습니다. 구름이 잔뜩 끼었던 하늘도 다시 명랑해졌습니다.

“이게 모두 심 낭자 덕이 아닌가?”

상인들은 술 한 잔씩 돌리고 담배 한 대씩을 피우며 청이의 명복을 빌었습니다.

수정궁

맑은 피리 소리에 청이는 눈을 떴습니다. 그 순간 향긋한 냄새가 온몸을 감싸고 돌았습니다.

'내가 죽어 천국에 왔는가?'

청이는 조심스레 주위를 돌아보았습니다.

"어서 오십시오."

눈 앞에 영롱한 무지개가 펼쳐지며 여덟 선녀들이 인사를 했습니다. 청이는 벌떡 일어나 앉았습니다.

"댁들은 누구십니까?"

"우리는 용궁 선녀들입니다."

선녀들 말에 청이는 자기가 죽지 않고 살아 있다는 것과 그 곳이 천국이 아닌 용궁이라는 것을 알았습니다.

청이가 인당수에 뛰어들기 전날, 옥황상제께서 용왕에게 사신을 보냈습니다.

"내일 효녀 심청이가 인당수로 갈 것이니 수정궁에 모시고 잘 대접하라. 만약 모시기에 소홀하면 큰 벌을 받을 줄 알라."

옥황상제의 명령에 용왕은 가마를 마련하고, 미리 여덟 선녀들을 대기시켜 놓고 있었습니다.

"타십시오."

선녀들이 가마문을 열어 주었습니다. 백옥으로 만들어진 용궁 가마는 차마 보기에도 아까운 것이었습니다. 겉은 온갖 산호와 진주로 장식하여 눈이 부신 데 비해 안은 꽃잎처럼 부드럽고 아늑하게 보였습니다.

"속세의 인간이 어찌 용궁의 가마를 타겠습니까?"

어리둥절한 가운데에서도 청이는 예의를 차렸습니다.

"만일 타지 않으시면 용왕께서 옥황상제께 큰벌을 받습니다."

선녀들이 당황하는 모습에 청이는 마지못해 가마에 올랐습니다. 여덟 선녀가 가마를 메고, 여섯 용이 청이를 모셨습니다. 바다의 장군과 군사들은 가마를 호위하고 푸른 학을 탄 동자 둘이 길을 인도하였습니다.

'참으로 아름답구나!'

풍악이 울리는 가운데 청이의 행렬은 용궁을 향해 나아갔습니다. 가마 위로 오색 물고기들이 넘나들고, 아래에는 해초들이 춤을 추었습니다.

수정궁은 인간 세계와는 완전히 다른 별천지였습니다. 고래 뼈로 대들보를 삼아 신령스런 빛이 뿜어져 나오고, 물고기 비늘로 기와를 삼아 상서로운 기운이 돌게 하였습니다. 산호와 진주 등으로 치장한 궁궐에서는 휘황찬란한 광채가 뿜어져 나왔습니다. 그 가운데로 통천관을 쓴 용왕이 백옥홀을 손에 들고 나타났습니다.

"만세, 만세!"

삼천팔백 수궁부 대신들이 영덕전 큰문 밖에 늘어서서 환호성을 올렸습니다. 용왕은 청이가 있는 곳까지 친히 나왔습니다. 그 뒤를 선녀들과 신선들이 따르고, 각종 물고기 대신들이 따랐습니다.

"어서 오시오, 심 낭자."

"이렇게 과분한 대접을 베푸시니 몸 둘 바를 모르겠습니다."

청이는 눈앞에 벌어지는 모든 일이 놀랍기만 했습니다.

청이가 수정궁에 머무는 동안, 용왕은 아침저녁으로 시녀를 보내 문안을 하고, 사흘마다 한 번씩 잔치를 베풀어주었습니다. 청이는 마치 꿈을 꾸는 것과 같았습니다.

용궁에서 서너 달 지냈을 때였습니다. 갑자기 수정궁

이 발칵 뒤집혀졌습니다. 광한전 옥진 부인이 온다는 소식이었습니다. 옥진 부인은 죽은 심 봉사의 처로, 청이가 수정궁에 왔다는 말을 듣고 옥황상제께 허락을 받아 만나러 오는 길이었습니다.

옥진 부인은 무지개 어린 오색 가마를 타고, 시녀들을 거느린 채 나타났습니다. 푸른 학과 흰 학들이 양쪽에서 길을 인도하고, 가마 위에서는 봉황이 너울너울 춤을 추었습니다.

"청아, 내 딸 청아!"

가마에서 내려서자마자 옥진 부인은 청이를 보고 달려왔습니다. 청이는 그제야 옥진 부인이 누구인 줄 알았습니다.

"어머니, 어머니!"

청이는 옥진 부인 품에 와락 안겼습니다.

"태어난 지 이레 만에 어머니를 여의고 이제까지 깊은 한을 안고 살았는데, 이 곳에서 어머니를 만나다니요, 꿈에도 생각하지 못했어요."

"나도 너를 이렇게 만날 줄을 몰랐구나. 그래, 아버지는 잘 계시느냐? 그 동안 많이 늙었겠구나. 너 하나만 믿고 살았을 양반이 이번 일로 얼마나 상심이 크겠느냐?"

옥진 부인은 청이를 만지고 여기 저기를 살펴보았습니다.

"귀와 목이 흰 것은 아버지를 닮았구나. 손발이 고운 것은 나를 닮고. 이것은 내가 끼던 옥반지고 이것은 내가 찼던 돈주머니구나."

반지와 주머니를 보고 옥진 부인은 무척 반가워했습니다.

"어머니는 어떻게 지내셨어요?"

"천만뜻밖으로 옥황상제께서 광한전을 맡겨 이제까지 잘 해내고 있단다."

말을 하면서도 옥진 부인은 청이의 손을 놓지 못했습니다. 청이와 옥진 부인이 못다 한 정을 나누는 사이에 옥황상제가 허락한 시간이 훌쩍 지나갔습니다.

"광한전 일이 너무 바빠 오래 비워두기가 어렵구나. 나중에 다시 만나면 그 때 마음껏 즐기기로 하자꾸나."

그렇게 청이는 어머니와 다시 긴 이별을 했습니다.

한편 남경 상인이 주고 간 쌀과 돈으로 심 봉사의 형편은 해마다 좋아졌습니다. 동네 사람들이 알아서 잘 관리해 주었기 때문이었습니다. 그런데 뺑덕어멈이 심 봉사의 첩으로 들어오면서 살림은 하루가 다르게 기울어졌습니다.

뺑덕어멈은 하루 종일 쏘다니며 아무나 보고 욕하고, 일하는 사람 보면 싸우고, 술 취하여 한밤중에 우는 등

행실이 아주 나쁜 여자였습니다. 심 봉사의 첩이 된 그날도 양식을 퍼 주고 떡부터 사먹었습니다. 또 베를 주고 술도 사 마셨습니다.

뺑덕어멈과 살림을 시작한 지 얼마 안 가 심 봉사네 살림은 엉망이 되었습니다. 집안에는 쓸 만한 살림살이가 남아 있지 않고, 당장 먹는 것 입는 것도 어렵게 되었습니다.

"여보 뺑덕이네, 우리 형편 착실하다고 남이 다 말했는데 요즘은 어찌해서 먹는 거 입는 게 이런가? 이러다 다시 빌어먹게 되는 거 아닌가?"

어느 날, 참다못한 심 봉사가 물었습니다.

"영감님, 그 동안 먹은 것만 얼마인지 아시오? 술 마신 다음날 아침 속 아파서 먹은 죽 값이 여든두 냥이요, 애도 배지 않았는데 살구는 어찌 그리 먹고 싶던지, 살구 값이 일흔석 냥이랍니다."

"야, 살구는 너무 많이 먹었다!"

"어디 살구뿐이겠소? 심심해서 사 먹은 엿 값이 쉰네 냥이요, 출출해서 사 먹은 떡 값이 백다섯 냥이요, 목말라서 사 먹은 사과, 배 값이 아흔아홉 냥이라오."

신이 나서 주워꿰는 뺑덕어멈의 말에 심 봉사는 속은 탔지만 겉으로는 허허, 웃었습니다.

"그럼 이제 남은 게 아무 것도 없는 건가?"

"왜 없겠소. 저기 저 반닫이하고 놋요강하고, 그릇 몇 개 남았죠."

결국 빌어먹게 되었다는 말이었습니다. 그러나 다시 고향에서 빌어먹을 수는 없는 노릇이었습니다. 심 봉사는 남은 살림살이를 팔아 멀리 떠나기로 하였습니다.

연꽃에서 되살아난 심청

“청이가 혼인할 시기이니 인당수로 돌려보내도록 하라.”

옥황상제의 명에 따라 사해 용왕은 큰 연꽃송이를 마련하였습니다. 수정궁에서 생활한 지 3년 만이었습니다. 사해 용왕은 연꽃송이 안에 청이를 태웠습니다.

“부디 인간 세상에 나아가서 부귀와 영광을 누리십시오.”

수정궁을 떠나던 날, 사해 용왕이 친히 나와 전송하여 주었습니다. 각궁의 시녀와 여덟 선녀도 나왔습니다.

“여러분 덕분으로 죽을 목숨 다시 살아 세상에 나가니 결코 이 은혜 잊지 않겠습니다. 부디 내내 평안하십시오.”

용왕과 선녀들에게 일일이 인사를 하고 연꽃에 오르는 순간, 연꽃송이는 인당수 푸른 물 위에 번듯 떠올랐습니다. 이 때 남경 상인들은 억만 금의 이익을 내고 돌아오는 길에 인당수 용왕에게 제를 지내고 있었습니다.

“용왕님의 넓으신 은덕으로 우리 상인들 뜻한 바를

이루어 한 잔 술로 정성을 드리오니, 받아 주소서."

청이의 혼도 위로하였습니다.

"그대는 늙으신 아버지 눈을 뜨게 하기 위해 바닷속 외로운 영혼이 되었으니 불쌍하고도 불쌍하오. 우리는 그대의 정성으로 장사에서 큰 이익을 내고 고향으로 돌아가지만 그대는 언제 다시 돌아오겠소. 이에 한 잔 술로 위로하니 영혼이 있거든 이를 받으소서."

도사공이 술을 올리는데, 저 멀리 두둥실 떠 있는 연꽃송이가 보였습니다.

"저것은 필시 심 낭자의 영혼이로다."

연꽃송이가 떠 있는 곳은 바로 청이가 빠졌던 곳이었습니다. 상인들은 꽃을 건져 임금께 바치기로 하였습니다. 마침 임금께서는 왕비가 죽은 후 꽃과 나무를 벗삼아 슬픔을 달래고 있었습니다.

"세상에, 이런 꽃이 다 있구나!"

꽃을 본 임금께서는 매우 흡족해 하며 상인들에게 큰 상을 내렸습니다.

"달빛 그림자가 분명하니 계수나무 꽃도 아니오, 요지연의 흰 복숭아꽃은 동방삭이 따온 후에 3천 년이 안 되었으니 벽도화도 아닐테고, 그렇다면 서역국의 연화씨가 떨어져 바다에 피었는가?"

임금께서는 꽃의 이름을 '강선화'라고 짓고 아침저녁으로 즐겨 보았습니다.

어느 달 밝은 밤, 임금께서는 강선화 생각이 간절하여 달빛을 쫓아 정원으로 나왔습니다.

이 때 한 줄기 바람에 강선화 잎이 벌어지며 무슨 소리가 나는 듯했습니다. 얼른 몸을 숨기고 지켜보니 선녀처럼 아름다운 처녀가 꽃봉오리 밖으로 살짝 얼굴을 내밀었습니다.

"너는 누구냐?"

임금께서 쫓아가 물으니 청이가 꽃송이 밖으로 나왔습니다.

"이름은 청이라 하옵고, 용궁에서 지낸 지 3년 만에 세상으로 나왔습니다."

'이는 필시 상제께서 보낸 배필이렷다.'

한눈에도 청이는 한 나라의 왕빗감으로 손색이 없었습니다. 임금께서는 서둘러 청이를 왕비로 봉했습니다.

왕비가 된 후, 청이는 심 봉사에 대한 생각으로 눈물짓지 않는 날이 없었습니다. 어느 날, 임금께서 청이의 눈물을 보고 까닭을 물었습니다.

"무슨 근심이 있길래 눈물을 흘리는 거요? 왕비의 부

귀공명에도 부족한 것이 있소?"

"그 동안 감히 여쭙지 못했는데, 사실 저는 용궁 사람이 아니랍니다."

청이는 솔직하게 자신의 신분을 밝혔습니다. 도화동에서 태어나 자란 이야기와 아버지를 위해 상인들에게 제물로 팔린 사연도 다 말했습니다. 수정궁에서 있었던 일도 이야기했습니다.

"그런 일이라면 왜 진작에 말씀하지 않으셨소? 어렵지 않은 일이니 너무 근심하지 마시오."

임금께서는 당장 도화동으로 사람을 보내어 심 봉사를 모셔오도록 하였습니다. 부원군(임금의 장인)으로서 정중하게 대우하라는 말도 빼놓지 않았습니다.

그러나 심 봉사는 일 년 전에 이미 마을을 떠난 뒤였습니다.

맹인 잔치

"죽었으면 할 수 없겠지만 살아 있으면 언젠가는 만날 것이오."

임금께서는 청이를 위로하는 한편 심 봉사를 찾을 방법을 생각했습니다. 이 때 청이가 한 가지 방법을 생각해 냈습니다.

"세상에서 가장 불쌍한 사람은 병든 사람이며, 병든 사람 중에도 앞 못 보는 사람들일 것입니다. 그들을 위해 대궐에서 잔치를 베풀어 주십시오. 그러면 혹시 아버님을 만날지도 모르겠습니다. 이것은 제 소원이기도 하지만 전하의 덕을 쌓는 일도 될 것입니다."

"과연 그렇겠소."

임금께서 무릎을 쳤습니다. 곧 전국의 모든 맹인들의 이름과 사는 곳이 조사되고, 이들을 잔치에 참석시키라는 지시가 내려졌습니다. 만일 맹인 한 사람이라도 잔치하는 것을 몰라 참석하지 못하면 그 도의 관리들에게 벌을 내리겠다고 했습니다.

심봉사도 맹인 잔치에 대한 소식을 들었습니다.

"우리도 이번 기회에 서울 구경 한번 해보세나. 천리 먼길을 나 혼자는 갈 수 없으니 자네가 좀 데려다 주게."

"구경이라면 내가 빠질 수 없지요."

서울 구경이라는 말에 뺑덕 어멈은 순순히 따라 나섰습니다.

길을 떠난 지 며칠 후, 심 봉사는 한 역촌에 닿게 되었습니다. 그 곳에서 심 봉사는 황 봉사라는 맹인을 만났습니다. 황 봉사는 완전한 소경이 아닌 반소경으로 살림도 넉넉한 편이었습니다. 황 봉사는 첩을 데리고 다니는 심 봉사가 부러웠습니다. 그래서 뺑덕어멈을 부추겨 같이 도망가자고 했습니다.

'나야 서울에 가더라도 잔치에는 참석할 수도 없을 것이고, 이쯤에서 황 봉사를 따라가는 게 낫겠다.'

그 날 밤, 뺑덕어멈은 심 봉사가 잠들기를 기다렸다가 남은 돈을 몽땅 털어 황 봉사와 함께 도망쳤습니다. 그렇게 해서 심 봉사는 서울까지 혼자 가게 되었습니다. 돈 없고 길잡이조차 없으니 고생은 이루 말로 다 할 수가 없었습니다. 서울에 도착했을 때는 그 꼴이 말이 아니었습니다.

맹인 잔치를 하는 동안 청이는 맹인들을 하나 하나 유심히 살펴보았습니다. 그러나 심 봉사는 보이지 않았습니다. 맹인 명부를 보아도 심학규란 이름은 없었습니다.

'잔치를 연 까닭은 아버님을 만나기 위해서였는데, 어찌 이리도 소식이 없단 말인가. 내가 인당수에서 죽은 줄 아시고 애통하여 죽으셨는가, 아니면 몽운사 부처님 은덕으로 그 동안에 눈을 떠서 맹인 잔치에 못 오시는가.'

잔치 마지막 날, 그 날도 청이는 잔치 마당에 나갔습니다. 마침 관리들이 명부를 보며 맹인들에게 옷을 나누어주고 있었습니다.

"행복동 김 봉사!"

"예."

"효자동 박 봉사!"

"예."

관리가 부르는 대로 봉사들이 하나씩 나와 옷을 받아 갔습니다. 청이는 맹인들의 얼굴을 하나하나 자세히 살폈습니다. 그런데 줄을 서지 못하고 뒤쪽에서 어슬렁거리는 한 맹인이 있었습니다.

"저 사람은 누군가?"

상궁이 좇아가 이름과 사는 데를 물어 왔습니다.

"어느 고을에 산다고 할 수가 없어서 명단에 들지 못한 사람이라고 합니다."

"이리 가까이 오라고 하라."

상궁에게 이끌려 온 맹인은 잔뜩 그을린 얼굴에 흰 머리카락이 듬성듬성 있고, 옷은 다 찢겨져 있었습니다.

"이름이 무엇인가요?"

청이가 맹인에게 물었습니다.

"심학규라고 합니다."

심학규란 이름을 듣는 순간, 청이는 심장이 멈추는 줄 알았습니다.

"처자는 있으신가요?"

"처는 오래 전에 죽고, 동냥 젖으로 키운 딸 하나가 있었습니다. 그런데 그 딸마저 아비 눈뜨게 한다고 공양미 삼백 석에 팔려가 인당수 제물로 빠져 죽었습니다."

청이는 눈물이 앞을 가려 더 이상 물을 수가 없었습니다. 버선발로 뛰어내려와 심 봉사의 손을 덥석 잡을 뿐이었습니다.

"아버지, 제가 인당수에 빠져 죽었던 청이예요!"
"이게 무슨 말이오!"
심 봉사가 놀라 고개를 들었습니다.
"청이라고요. 아버지 딸 청이요."
"정녕 네가 내 딸 청이란 말이냐! 어디 보자, 어디 한 번 보자꾸나!"
심 봉사는 눈을 번쩍 뜨고 청이를 보았습니다.

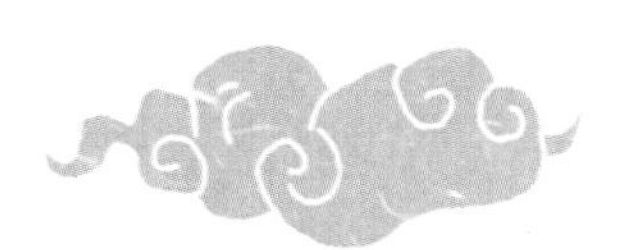

장화홍련전

어머니를 그리는 마음

옛날, 배무룡이라는 사람이 있었습니다. 좌수 벼슬을 지낸 데다 사는 것도 넉넉하여 남부러울 것이 없는 사람이었습니다. 다만 슬하에 자식 없는 것이 걱정이었습니다.

어느 날, 부인 장씨가 하늘 나라 선녀가 품에 안기는 꿈을 꾸었습니다. 장씨는 배 좌수에게 꿈 이야기를 하였습니다.

"하늘이 우리를 가엾게 여겨 자식을 주시려나 보오."

꿈 내용에 배 좌수는 몹시 기뻐하였습니다. 배 좌수 말대로 장씨는 그 달부터 태기를 느끼고, 열 달 만에 예쁜 딸을 낳았습니다. 배 좌수는 아기의 이름을 장화라 지었습니다. 장화가 두 살이 되던 해, 장씨는 또다시 딸을 낳았습니다. 두 번째 딸은 홍련이라고 이름지었습니다. 장화와 홍련은 얼굴도 고왔지만 행동거지도 반듯했습니다.

그런데 장화가 일곱 살, 홍련이 여섯 살 되던 해였습니다. 시름시름 앓던 장씨가 아예 자리를 깔고 누웠습니다. 그 때부터 장화와 홍련은 한시도 어머니 곁을 떠나지 않았습니다. 배 좌수 역시 정성을 다해 부인을 구완했습니다. 그러나 장씨의 병은 점점 깊어갈 뿐이었습니다.

"제가 죽더라도 부디 장화와 홍련을 잘 길러 주세요."

죽기 전, 장씨는 배 좌수에게 간절하게 부탁했습니다. 배 좌수가 새 부인을 얻을 것이라 생각하고 한 말이었습니다.

"염려 마시오. 장화와 홍련이 내게 어떤 딸인데 함부로 하겠소. 다시 장가들 생각도 없지만 설사 든다고 해도 어찌 당신과의 정을 잊겠소."

배 좌수는 단단히 약속을 했습니다. 그러나 장씨 부인이 죽고 얼마 안 있어 배 좌수는 곧 새 장가를 들었습니다. 어린 장화와 홍련을 키우자면 아무래도 어머니가 필요할 것 같았기 때문이었습니다. 또 큰살림을 꾸려 가는 데에는 무엇보다도 안주인이 필요했습니다.

배 좌수의 새 부인은 허씨 성을 가진 여자였습니다. 양반가의 후손이었지만 찢어지게 가난한 데다 너무 못생겨서 어쩔 수 없이 배 좌수의 후처로 들어온 것이었습니다. 허씨는 마음씨도 좋지 않았습니다. 욕심 많고 심술궂고, 남 잘 되는 꼴을 못 보았습니다.

시집 오자마자 허씨는 연달아 아들 삼 형제를 낳았습니다. 그러나 배 좌수는 허씨와 아들들에게 마음을 붙이지 못하고 죽은 장씨와 어린 딸들만 생각했습니다. 잠시라도 밖에 나갔다 돌아오면 딸들 방부터 들렀습니다.

"너희 어머니가 보고 싶구나. 네 어머니가 살아 있다면 얼마나 좋겠느냐."

배 좌수는 딸들과 함께 눈물을 흘리곤 했습니다. 그럴 때마다 허씨는 질투가 나서 어찌할 바를 몰라했습니다. 그렇지 않아도 눈엣가시 같은 장화와 홍련이 더욱 미워졌습니다. 이를 배 좌수가 짐작하고 허씨를 불러 크게 꾸짖었습니다.

"그대가 이렇게 풍족하게 먹고사는 건 다 저 아이들 어머니가 가져온 재물 덕분이오. 그런데 고마워하기는 커녕 어린 것들을 괴롭히기만 하니 너무 하지 않소."

배 좌수 말에 허씨는 눈물을 흘리며 용서를 빌었습니다. 속으로는 화가 났지만 겉으로는 크게 뉘우친 듯하였습니다.

어느 날, 배 좌수가 딸들 방에 들어가 보니 장화와 홍련이 서로 손을 잡고 울고 있었습니다. 그 모습을 보고 배 좌수는 마음이 찢어질 듯 아팠습니다.

"무슨 일이 있느냐?"

배 좌수는 딸들의 손을 부여잡았습니다.

"아닙니다. 그저 어머니가 보고 싶어서 그럽니다."

"새어머니가 뭐라고 한 건 아니냐?"

"저희한테는 눈길조차 주지 않는데 뭐라고 할 리 있겠습니까?"

홍련의 말에 배 좌수는 가슴이 찢어질 듯 아팠습니다.

"너희들 팔자가 기구하여 그런 계모를 만났으니 어쩌겠느냐. 다음부터는 이런 일이 없게 할 테니 그만 울음을 그치거라."

배 좌수는 장화와 홍련의 등을 토닥거렸습니다. 그러나 장화와 홍련은 서로 부둥켜안은 채 더욱 서럽게 울 뿐이었습니다. 이들은 허씨가 창 밖에서 엿보고 있는 줄도 까맣게 몰랐습니다. 허씨는 장화와 홍련이 괘씸하여 더는 두고 볼 수가 없었습니다.

계모의 모함

어느 날, 허씨는 제 자식인 장쇠를 불렀습니다.

"너 어디 가서 큰 쥐 한 마리 잡아오너라."

"쥐는 잡아서 뭐하게요?"

"글쎄, 아무 말 말고 시키는 대로 해라."

허씨는 장쇠가 잡아온 쥐의 껍질을 벗기고 피를 발랐습니다. 그것을 장화가 자는 방 이불 밑에 넣어 두었습니다.

밤이 이슥하여 배 좌수가 들어오자 허씨는 먼 곳을 보며 한숨을 쉬다 혀를 차다 하였습니다.

"무슨 일이 있소?"

배 좌수가 물어도 한숨만 쉴 뿐이었습니다. 이맛살을 찌푸린 채 고개를 젓기도 했습니다.

"도대체 무슨 일이오, 무슨 일인데 이렇게 호들갑이오?"

"너무나도 놀랍고 흉측한 일이라 얼른 입이 떨어지지가 않습니다."

허씨는 곤란한 듯 겨우 입을 열었습니다.

"당신은 제가 모함한다고 할지 모르겠지만 이렇게 된 이상 말씀드리지 않을 수 없습니다. 당신은 남자이고 친아버지라 딸들이 얼마나 부정한지 눈치조차 채지 못했을 것입니다. 같은 여자라도 친엄마가 아니어서 그런지 저도 잘 몰랐는데 당신이야 오죽하겠습니까."

"아이들에게 무슨 일이 있소?"

"글쎄 오늘 큰아이가 해가 중천에 뜨도록 일어나지를 않는 것이었습니다. 그래서 몸이 불편한가 하여 들어가 보았더니, 이게 웬일이란 말입니까. 떡 하니 낙태를 하고 누웠다가 저를 보더니 당황하여 어쩔 줄을 모르는 것이었습니다. 그 때 제가 놀란 것을 생각하면 아직도 가슴이 벌렁벌렁 뛥니다. 그러나 어쩌겠습니까, 행여 소문이라도 난다면 양반 체면에 얼굴을 들고 다니지 못할 텐데. 그래서 둘만 알고 있기로 하고 덮어두었습니다."

허씨의 말을 배 좌수는 얼른 믿지 못했습니다. 그러자 허씨가 배 좌수의 손을 이끌고 장화와 홍련의 방으로 들어갔습니다. 장화와 홍련은 아무 것도 모른 채 깊은 잠에 빠져 있었습니다.

“보십시오.”

허씨가 이불을 들추고 죽은 쥐를 보여주었습니다.

“이럴 수가!”

배 좌수가 온몸을 부르르 떨었습니다.

“너무나도 엄청난 일이라 저도 어찌할 줄을 모르겠습니다. 저 아이를 아무도 모르게 죽일까도 했지만

그러면 사정 모르는 남들은 계모가 전실 자식을 모함하여 죽였다고 할 것입니다. 그렇다고 모르는 채 덮어두면 계모라서 딸의 부정함을 그냥 보아 넘긴다고 할 것이고."

말을 하면서도 허씨는 계속 배 좌수의 눈치를 살폈습니다. 그러나 배 좌수는 한숨만 쉴 뿐 별 반응이 없었습니다.

"아무리 생각해도 제가 죽는 것이 나을 듯합니다."

허씨는 갑자기 품속에서 은장도를 꺼내 높이 치켜들었습니다.

"이게 무슨 짓이오!"

배 좌수가 얼른 은장도를 빼앗았습니다.

"잘못은 저 아이가 저질렀는데 왜 당신이 죽는단 말이오?"

"항상 저 아이들 일이라면 끔찍이 생각하시기에 그렇습니다. 더구나 죽은 부인을 그토록 못 잊어 하시니 차라리 내 한 목숨 끊는 게 낫지 않겠습니까?"

허씨는 바닥에 엎어져 통곡을 했습니다.

"내 이제야 그대의 깊은 속을 알았소. 이제부터는 그

대가 시키는 대로 할 터이니 말해 보시오. 저 아이를 어쩌면 좋겠소?"

배 좌수 말에 허씨는 드디어 소원을 이룰 때가 왔다고 생각했습니다.

"어려운 일인 줄 알지만 저 아이를 죽입시다. 그렇지 않으면 장차 배씨 가문에 큰 욕이 될 것입니다. 한시라도 빨리 처치하여야 이 일이 드러나지 않을 것입니다."

겉으로는 여전히 슬픈 체하면서 허씨는 기어이 속마음을 드러냈습니다.

"어떻게 죽이는 게 좋겠소?"

장씨에게 했던 약속이 걸렸지만 배 좌수는 허씨의 말을 따르기로 했습니다. 생각할수록 장화의 행실이 괘씸했기 때문이었습니다.

"장쇠와 함께 저희 외삼촌 댁에 다녀오라고 한 뒤 가다가 연못에 밀쳐 넣으면 어떻겠습니까?"

"그게 좋겠구려."

배 좌수의 허락이 떨어지자마자 허씨는 당장 장쇠를 불렀습니다.

뜻밖의 이별

죽은 어머니 꿈을 꾸다 장화는 잠에서 깨어났습니다. 휘영청 밝은 달빛이 장지문 사이로 들어왔습니다. 장화는 가만히 일어나 앉아 생각했습니다. 이렇게 어머니를 그리며 사느니 차라리 어머니를 따라가는 게 낫지 않을까 하고. 그러나 홍련이 때문에 그럴 수가 없었습니다. 또 아버지인 배 좌수도 걸렸습니다.

"장화야, 이리 나와 보거라."

이 때 배 좌수가 장화를 불러냈습니다. 전에 없던 일이라 장화는 깜짝 놀랐습니다.

"무슨 일이십니까?"

"얼른 외삼촌 댁에 좀 다녀와야겠다."

"이 밤중에 말입니까?"

"그래, 장쇠도 함께 갈 것이니 서두르거라."

배 좌수의 말투가 차갑기 그지없었습니다.

"태어나 이제까지 문 밖이라고는 모르는 제게 무슨 말씀이십니까? 더구나 이 깊은 밤에 알지도 못하는 길을 가라니요?"

너무나도 뜻밖의 말에 장화는 눈물이 터져 나오려고 했습니다. 그러나 배 좌수는 눈길조차 주지 않았습니다.

"그러니까 장쇠를 데리고 가라 하지 않느냐? 어서 잔말을 말고 다녀 오너라."

"아버님께서 가라 하시면 지옥인들 싫다고 하겠습니까? 하지만 밤이 너무 깊었으니 부디 날이나 새거든 가게 해 주십시오."

장화가 간절하게 사정하자 배 좌수는 마음이 흔들렸습니다. 이를 눈치채고 허씨가 얼른 나섰습니다.

"자식된 도리로 아버지가 죽으라면 죽기도 하겠거늘, 너는 무슨 말이 그리도 많으냐?"

허씨의 호통이 집안을 쩡쩡 울렸습니다.

"알겠습니다. 분부대로 하겠습니다."

장화는 두 말 않고 방으로 들어가 홍련을 깨웠습니다.

"무슨 일이에요?"

"아버님께서 갑자기 외삼촌 댁에 다녀오라고 하신다."

"왜요?"

"이유는 나도 잘 모른단다. 그냥 무조건 가라시니까.

그런데 왠지 자꾸 불안한 생각이 드는구나."

"가지 말아요."

장화와 홍련은 오랜 이별을 예상한 듯 손을 부여잡고 한없이 울었습니다.

"내가 돌아올 때까지 잘 있거라. 되도록이면 빨리 돌아올 테니 너무 슬퍼하지 말고."

"언니, 가지 말아요."

홍련은 장화의 치마폭에 매달렸습니다. 이 때 허씨가 들어왔습니다.

"한밤중에 웬 곡소리냐?"

이어 장쇠를 향해 소리쳤습니다.

"장쇠야, 누나와 함께 외가에 다녀오라는 말 못 들었느냐!"

장쇠는 마치 염라대왕의 분부라도 받은 듯이 어깨춤을 추며 마루

위로 떼구르르
굴러왔습니다.

"누님, 어서 나와요.
얼른 안 가면 나만
혼난단 말예요."

장쇠의 성화에
장화는 홍련의
손을 떨쳤습니다.

"언니, 가지
마세요."

"외가에 가는 게 무슨 큰일이라고 이리도 요망스럽게
구는 게냐?"

허씨의 호통에 홍련은 제풀에 스르르 물러나 앉았습니다.

"그럼 다녀오겠습니다."

장화와 장쇠가 인사를 하고 대문 밖으로 나갔습니다. 장화는 연신 뒤를 돌아보고, 장쇠는 똑바로 앞만 보고 갔습니다.

억울한 죽음

한밤중인데 말은 또각또각 잘도 갔습니다. 짐승들 울음소리가 끊이지 않았건만 겁내지 않고 갔습니다. 장화는 말에서 떨어지지 않도록 고삐를 꼭 쥐었습니다. 구름 한 점 없는 하늘에서 달이 계속 쫓아왔습니다.

말이 멈춘 곳은 깊은 산골짜기였습니다. 첩첩 봉우리 사이로 계곡물이 흐르고 주위에는 소나무가 무성했습니다. 그 소나무 사이로 큰 연못이 보였습니다.

"내리시우."

연못가에 이르자 장쇠가 말을 세웠습니다.

"여기가 어딘데 내리라는 거냐?"

"보면 모르우?"

"왜 내리라는 거냔 말이다."

"누나가 지은 죄를 왜 내게 묻는 거요?"

장쇠가 무뚝뚝하게 되물었습니다.

"몰라서 묻는 거 아니냐?"

"그럼 이 밤중에 정말 외가에 가라고 한 건 줄 알았

수? 어머니가 착하시니까 이제까지 누나의 잘못을 덮어준 거지, 이미 낙태한 일이 들통난 마당에 무슨 말이 그리 많소? 아무튼 아버지가 내게 누나를 이 연못에 넣고 오라고 하셨으니 얼른 들어가시오."

장화는 온몸이 부들부들 떨렸습니다. 마른하늘에 날벼락도 이런 날벼락이 없었습니다. 낙태는 무엇이고 연못에 넣으라는 말은 또 무엇이란 말입니까. 장화는 다리에 힘이 빠져 제대로 서 있을 수가 없었습니다.

"천지신명께 묻습니다, 이게 대체 무슨 일입니까? 무슨 일로 저를 세상에 내놓으시고 또 무슨 일로 천고에 없는 누명을 씌워 이 깊은 연못에 빠져 죽게 하는 겁니까?"

장화는 연못가에 주저앉아 통곡하였습니다.

"어머니, 어머니는 어찌하여 그렇게 일찍 세상을 버리셨습니까. 그렇게 일찍 가실 거면 우리 자매 낳지 마시지요. 저 이제 억울한 누명을 쓰고 연못에 빠져 죽게 생겼습니다. 죽는 것은 슬프지 않으나 원통한 이 누명을 어떻게 벗겠습니까. 홍련이는 또 어찌하고요."

"그만 떠들고 얼른 들어가시오. 어차피 죽을 인생이라면 그렇게 발악해서 무엇하겠소."

기다리기에 지친 장쇠가 재촉했습니다.

"네가 어찌 이럴 수 있니? 비록 어머니는 다르나 우린 같은 아버지 밑에서 태어난 오누이 아니니? 오누이의 정을 생각해서 잠시 말미를 좀 주렴. 삼촌 댁에 가서 인사도 드리고 어머니 묘에 가서 하직 인사도 드리게. 도망가려는 게 아니니 제발 좀 보내다오."

"그 말을 어떻게 믿어요?"

"생각해 보렴, 만약 내가 누명을 벗고자 집으로 돌아가 아버님께 말씀드린다면 새어머니가 가만히 있지 않을 것이요, 살고자 도망간다면 아버지의 분부를 거역하는 것이 되지 않겠니? 절대로 그런 일은 없을 거다."

장화는 장쇠에게 두 손 모아 사정했습니다. 그러나 장쇠는 빨리 들어가지 않는다고 성화를 부릴 뿐이었습니다.

"천지신명이시여, 굽어살피소서. 일곱 살에 어머니를 여의고 동생 하나 보고 살아 왔는데, 이제 새어머니의 모함으로 물에 빠져 죽게 되었습니다. 부디 저의 억울함을 밝혀 주시고, 홍련이는 저와 같은 누명을 쓰지 않도록 도와 주소서."

장화는 다시 장쇠에게 부탁했습니다.

"잘 있거라. 나는 누명을 쓰고 죽지만 부디 홍련이는 이렇게 되지 않도록 보살펴다오."

"쓸데없는 걱정 말고 얼른 들어가기나 하시오."

"알았다."

장화는 신발을 벗어 연못가에 놓고 오던 길을 되돌아보았습니다.

"홍련아, 너를 두고 죽으려니 간장이 다 녹는구나."

장화는 치마를 뒤집어쓰고 한순간에 연못으로 뛰어들었습니다. 순간 소용돌이가 일면서 물기둥이 허공으로 높이 치솟았습니다. 그 사이에서 집채만한 호랑이가 턱, 나타났습니다.

"네 이놈, 제 누이를 모함하여 죽음에 이르게 하다니! 네가 그러고도 살기를 바라느냐!"

호랑이는 장쇠의 두 귀와 한 팔, 한 다리를 떼어먹고 온데간데없이 사라졌습니다. 장쇠는 그 자리에서 기절하고, 장화가 탔던 말은 놀라 집으로 달아났습니다.

죽음을 뛰어넘은 우애

허씨는 마당에서 오락가락했습니다. 장쇠가 돌아올 때까지는 가만히 앉아 있을 수가 없었습니다. 행여 밤길을 걷다 다리라도 부러졌을까 걱정이 되어 견딜 수가 없었습니다.

'설마 무슨 일이 있으려고.'

곰처럼 단단한 장쇠를 생각하며 허씨는 애써 불안함을 달랬습니다. 이 때 장화가 타고 갔던 말의 울음소리가 들려왔습니다.

"왔구나!"

허씨가 대문을 활짝 열었습니다. 대문 밖에는 말이 땀에 흠뻑 젖은 채 서 있었습니다. 무엇인가에 잔뜩 놀란 모습이었습니다.

"네 주인은 어디 있느냐?"

허씨의 목소리가 가늘게 떨렸습니다. 한눈에 안 좋은 일이 일어난 것을 알 수 있었기 때문이었습니다. 허씨는 당장 하인들을 깨워 말 발자국을 되짚어 가게 했습니다.

곧 횃불 행렬이 연못을 향해 꼬리처럼 이어져 나갔습니다. 허씨는 그 행렬의 가장 앞에 서 있었습니다.

"마님, 저기 도련님이 있습니다."

장쇠를 발견한 것은 그 집의 가장 늙은 하인이었습니다. 허씨는 하인이 가리킨 곳으로 달려갔습니다.

장쇠는 한 팔, 한 다리와 두 귀를 잃은 채 피를 흘리며 기절해 있었습니다.

"장쇠야, 이게 웬일이냐!"

허씨는 장쇠를 집으로 데려가 약을 먹이고 상한 곳을 동여매 주었습니다.

"어떻게 된 일이냐?"

장쇠가 정신을 차리자 허씨가 사연을 물었습니다. 장쇠는 장화와 호랑이가 한 말을 자세하게 말했습니다.

"그것이 앙심을 품고 죽어 호랑이가 나타나게 했구나."

허씨의 원망은 홍련에게까지 이어졌습니다. 허씨는 홍련마저 죽이려고 생각하였습니다.

잠을 자다 홍련은 옆에 장화가 없는 것을 알았습니다. 밖에 나와 보니 하인들이 눈길을 피하며 공연히 바쁜 체했습니다. 홍련은 장화에게 무슨 일이 일어난 것이라고 생각했습니다.

"무슨 일이 있나요, 언니는 어디 갔죠?"

홍련은 안채로 달려가 장화의 행방을 물었습니다.

"장쇠가 네 언니와 함께 외가에 가다가 호랑이를 만나 병신이 되어 돌아왔다."

허씨의 말에 홍련은 가슴이 철렁 내려앉았습니다.

"언니는 무사한가요?"

"동생이 병신이 되었다는데 넌 네 언니 걱정뿐이냐?"

허씨가 자리를 박차고 일어났습니다. 홍련은 울며 방으로 돌아왔습니다.

"언니, 언니, 어디 있어요?"

홍련은 장화의 베개에 엎어져 몸부림쳤습니다. 그러다 잠이 들어 꿈을 꾸었습니다. 장화가 물 속에서 황룡을 타고 나와 북해로 가는 꿈이었습니다.

"언니, 언니!"

홍련이 부르짖으며 쫓아갔습니다. 그러나 장화는 본체도 하지 않았습니다.

"언니, 왜 그렇게 모르는 체해요? 내가 무슨 잘못이라도 했나요?"

"난 지금 옥황상제의 명을 받고 삼신산으로 약을 캐러 가는 길이야. 그래서 조금도 지체할 수가 없어. 하지만 장차 때를 보아 데려갈 테니 너무 섭섭하게 생각하지 말아라."

장화가 좋게 타이르는데 갑자기 용이 소리를 지르며

하늘 높이 솟구쳤습니다. 그 소리에 홍련은 깜짝 놀라 깨어났습니다.

'언니에게 무슨 일이 있구나!'

홍련은 그렇게 생각하고 당장 배 좌수에게 갔습니다.

"아버님, 아무래도 언니에게 무슨 일이 있는 것 같습니다. 갑자기 제 마음이 자꾸 슬퍼지고 이상합니다."

배 좌수는 숨이 막힌 듯 아무 말도 하지 못했습니다.

"장쇠가 저리 되었을 때 언니는 어찌되었겠습니까?"

마침 허씨가 들어오다 그 소리를 들었습니다.

"네 어찌 제대로 알지 못하는 소리를 함부로 지껄이느냐!"

"언니가 걱정돼서 그래요."

"듣기 싫다."

허씨는 어떡하든 홍련이 배 좌수와 말을 못 하도록 막았습니다.

허씨의 태도도 태도지만 보고만 있는 배 좌수는 더욱 이상했습니다. 홍련은 아무래도 무슨 사연이 있다고 생각했습니다.

홍련의 죽음

허씨가 외출한 틈을 타서 홍련은 장쇠를 찾아갔습니다.

"장쇠야, 장화 언니는 어찌 되었니?"

그 때까지도 장쇠는 자리에서 일어나지 못하고 있었습니다. 한 쪽 팔과 다리만 없는 것이 아니라 얼굴도 많이 상해 있었습니다.

"널 탓하자는 게 아니니 제발 솔직히 말해다오."

"큰누나는 죽었소."

장쇠가 고개를 돌린 채 말했습니다. 천벌까지 받은 마당에 더 큰 죄를 지을 수는 없었습니다. 짐작은 하고 있었지만 막상 듣고 나니 홍련은 정신이 아득해졌습니다.

"어떻게 죽었니? 왜 죽었어?"

홍련의 다그침에 장쇠는 죽은 쥐로 낙태 사건을 꾸민 것에서부터 연못에 빠져 죽게 한 것까지 빠짐없이 말하였습니다.

"세상에, 우리 언니가……."

방으로 돌아온 홍련은 이미 제 정신이 아니었습니다.

생각할수록 기가 막혔습니다. 꽃다운 나이에 흉측한 누명을 쓰고 죽었으니 그 원한이 얼마나 사무칠까, 생각할수록 가슴이 미어지는 것 같았습니다.

"언니, 어디 있어요? 천국에서 어머니를 만나고 있나요, 피눈물을 흘리며 구천을 떠돌고 있나요, 아니면 연못 속에서 이 동생을 기다리고 있나요?"

아무래도 연못 속에서 기다리고 있을 것 같았습니다.

홍련은 장화에게 가기로 했습니다. 더 이상 살아 보았자 장화처럼 더러운 누명을 쓰고 죽임을 당할 텐데, 그 전에 깨끗이 죽는 것이 낫다는 생각이었습니다. 그러나 태어나서 문 밖이라곤 나가본 적이 없어 홍련은 안타깝기만 했습니다.

어느 날, 파랑새 한 마리가 홍련의 꽃밭에 날아왔습니다.

'저 파랑새처럼 훨훨 날아다닐 수만 있다면.'

홍련은 파랑새를 보며 무심히 생각했습니다. 그러자 파랑새가 허공으로 높이 날아오르며 날갯짓을 하였습니다. 마치 이리 오라고 손짓을 하는 것 같았습니다.

'내가 언니 죽은 곳을 몰라 밤낮으로 애를 태웠더니

저 파랑새가 나를 데리러 왔는가?'

홍련의 생각을 알기라도 한 듯 파랑새는 날갯짓을 멈추지 않았습니다. 홍련은 서둘러 먹을 갈아 편지를 썼습니다.

아버님, 보십시오.

슬프고도 슬픈 일입니다. 저희 자매 일찍이 어머니를 여의고 서로 의지하고 살았는데, 천만뜻밖으로 언니가 몹쓸 누명을 쓰고 마침내 원혼이 되니 어찌 슬프지 않으며 원통하지 않겠습니까. 이제 저는 가련한 언니를 좇아가니 아버님께서는 불효한 딸자식을 생각지 마십시오. 다시는 아버님을 뵙지 못한다고 생각하니 가슴이 미어지고 눈물이 앞을 가립니다만, 저리도 오라고 손짓을 하니 아니 갈 수가 없습니다. 부디 만수무강하십시오.

홍련은 편지를 접어놓고 창 밖을 내다보았습니다. 그때까지도 파랑새는 날아가지 않고 있었습니다.

"네 진정 우리 언니가 있는 곳을 가르쳐 주려 왔느냐?"

파랑새는 마치 대답이라도 하듯 재재재, 지저귀었습니다.

"그렇다면 길을 잡아라. 내 기꺼이 너를 따라가마."

홍련은 망설임없이 파랑새를 따라 나섰습니다. 파랑새는 기다렸다는 듯이 앞서 날아가기 시작했습니다.

"이제 가면 언제 다시 이 문전을 보겠는가."

문턱을 넘자하니 눈물이 앞을 가렸습니다.

파랑새는 홍련의 발걸음에 맞춰 저만큼 날아갔다 기다리고, 다시 저만큼 날아갔다 기다렸습니다. 홍련은 돌멩이에 발이 채이고 나뭇가지에 옷이 찢기면서 부지런히 쫓아갔습니다. 마침내 낙락장송이 울울한 숲 속 연못가에 이르렀습니다. 파랑새는 홍련의 머리 위를 한 바퀴 돌았습니다.

"여기가 언니 있는 곳이니?"

홍련은 주위를 살펴보았습니다. 새삼 언니에 대한 그리움이 솟구쳤습니다. 홍련은 연못 한가운데를 향해 나아갔습니다. 슬프고 두려웠지만 장화를 만난다는 생각에 참았습니다.

물이 허리에 차 오를 즈음, 갑자기 진한 안개가 퍼지며 울음소리가 들려왔습니다. 장화의 울음소리였습니다.

"너는 무슨 이유로 천금같이 귀중한 목숨을 버리려고 하니?"

“언니, 어디 있어요?”

홍련은 안개를 헤치며 미친 듯이 나아갔습니다.

“홍련아, 제발 그만두거라. 사람은 한번 죽으면 다시 살아나지 못한다.”

“싫어요, 난 언니 없이 살 수 없어요.”

“안 돼, 홍련아, 안 돼!”

장화의 안타까운 울음소리가 이어졌습니다. 홍련은 울음소리를 찾아 계속 나아갔습니다.

“비나이다, 비나이다, 천지신명께 비나이다. 이 목숨 바치어 옥같이 맑은 우리 언니, 천추에 맺힌 원한을 풀게 해 주소서.”

홍련은 완전히 물 속으로 잠겨들었습니다. 홍련이 잠겨드는 순간, 물 위로 자욱하게 안개가 퍼지며 장화와 홍련의 울음소리가 들려오기 시작했습니다.

울음소리는 그 다음날도, 또 그 다음날도 계속 이어졌습니다. 간간이 계모의 모함으로 억울하게 죽은 사연이 들려오기도 했습니다.

장화와 홍련의 원혼

"사또, 사또……."

철산 관아에 밤마다 장화와 홍련의 원혼이 나타난다는 소문이 돌았습니다. 부임하는 철산 부사들마다 하룻밤 사이에 죽는 것은 그들 때문이라는 소문도 돌았습니다. 자연히 철산은 무서운 고을이 되었고, 해마다 흉년까지 들어 고을 사람들의 원성이 자자했습니다. 이러한 사정으로 임금께서도 크게 근심하였습니다.

"철산 부사로 갈 마땅한 사람을 추천해 보시오."

그러나 목숨이 달린 일이었습니다. 아무리 임금의 말이라고 해도 대신들은 함부로 추천할 수가 없었습니다.

"전하, 저를 보내 주십시오."

그런데 정동호라 하는 사람이 자청하고 나섰습니다. 성품이 강직하고 행동이 정중하기로 소문난 사람이었습니다.

"그대가 자청하여 철산으로 가겠다고 하니 참으로 다행스럽고 고마운 일이오. 하지만 이미 여러 사람이 죽은 곳이니 만큼 매사에 조심하고 신중하게 처신하도록 하시오.”

임금께서는 즉시 정동호에게 철산 부사를 제수하였습니다. 철산으로 내려온 정 부사는 먼저 이방을 불러 사정을 알아보았습니다.

“듣자하니 이 고을에서 여러 부사가 죽었다는데, 사실인가?”

“말씀드리기 민망하나 사실입니다. 그것도 꼭 잠을 자다 죽으니 그 이유를 알 수 없습니다. 벌써 5, 6년째 계속된 일입니다.”

“알겠네, 그만들 물러가서 자게.”

“그럼 편히 주무십시오.”

말은 그렇게 했지만 속으로는, ‘또 아까운 목숨 하나 버렸군.’ 하고 생각했습니다.

그 날 밤, 정 부사는 잠자리에 들지 않았습니다. 수많은 부사들이 죽은 이유를 밝혀야 한다는 생각 때문이었습니다. 그 사이에 이방을 비롯한 관아 사람들은 장례 준비를 하였습니다. 부사가 새로 부임해 올 때마다 해온 일이었습니다.

밤이 점점 깊어 갔습니다. 정 부사는 촛불을 밝혀 놓고 책을 읽고 있었습니다. 삼경이 지났을 무렵, 갑자기 한 줄기 바람이 일더니 촛불을 훅, 꺼버렸습니다.

“누구냐?”

정 부사가 옆에 놓아둔 칼을 잡았습니다. 그러자 스르르 방문이 열리며 한 처녀가 홀연히 들어왔습니다. 정 부사는 등골이 서늘했습니다.

"뉘집 처자인데 이 밤중에 행차인가?"

처녀는 먼저 정 부사에게 절을 올렸습니다.

"저는 이 고을에 사는 배 좌수의 딸 홍련입니다. 언니의 억울함을 호소하려고 이렇게 찾아왔습니다."

"그렇다면 어찌하여 무고한 부사들은 죽였느냐?"

"저는 다만 억울함을 호소하려고 찾아왔는데 부사들께서 놀라 죽은 것입니다. 일부러 그런 것이 아니니 부디 용서하십시오."

달빛에 비친 홍련의 모습은 과연 심장을 멈추게 할 만하였습니다.

"그렇다면 그 억울한 사정이 무엇인지 말하여 보거라."

"저의 언니 장화가 일곱 살이 되고 제가 여섯 살이 되던 해에 어머니가 돌아가시고, 저희 자매는 해와 달처럼 서로 의지하며 살았습니다. 그런데 아버지가 새어머니를 얻으면서 불행이 시작되었습니다. 새어머니는 성품이 사납고 질투가 심한 사람으로 시집오자마자 아들 셋을 낳았습니다. 그래서 아버지의 마음이 새어머니에게 기울어지게 되었습니다. 새어머니는 저희 자매를 심하게 구박했습니다. 저희 집 재산 때문이지요. 저희 집 재산은 돌아가신 어머니가 시집오실 때 가져온 것입니다. 노비가 수십 명이요, 논과 밭이 천여 석이요, 금은보화도 한 궤짝이었습니다. 새어머니는 저희 자매가 출가하면 그 재산을 다 가져갈 것이라고 생각했습니다. 그래서 제 자식들을 위해 저희 자매를 죽이기로 마음먹은 것이지요."

"어떻게 죽였느냐?"

"누명을 씌워 죽였습니다. 큰 쥐를 잡아 껍질을 벗기고 피를 발라 언니 방에 놓아둔 다음, 아버지에게는 언니가 낙태했다고 거짓말을 한 것입니다. 그런 줄도 모르고 아버지는 언니를 괘씸하게 여겨 이복 동생 장쇠로 하여금 연못에 빠져 죽게 하였습니다."

이 때 밖에서 여인이 통곡하는 소리가 들렸습니다. 장화의 울음소리였습니다.

"게 누구냐!"

정 부사가 다시 칼을 집어들었습니다.

"고정하소서. 언니가 너무도 억울하여 눈물로써 하소연하는 것입니다."

홍련의 말이 사실이라면 그럴 수 있다고 생각했습니다.

"너는 어찌하여 죽었느냐?"

"그 일을 알고부터 저는 억울하고 원통해서 도저히 살 수가 없었습니다. 또 구차하게 목숨을 부지하다가 새어머니의 흉계에 말려드는 게 두려워 언니가 빠져 죽은 연못에 뛰어 들었습니다. 죽은 것은 억울하지 않으나 언니의 더러운 누명을 씻을 길이 없기에 억울하고 또 억울합니다. 이제 천만다행으로 어지신 사또를 만나 감히 여쭈오니 이 뼈에 새겨진 억울함을 풀어주십시오."

말을 마치고 홍련은 바람처럼 사라졌습니다.

'이런 일이 있었구나!'

정 부사는 날이 새기를 기다리며 밤을 꼬박 새웠습니다.

이튿날 아침, 이방을 비롯한 관속들이 장례 준비를 하고 나타났습니다.

"도대체 언제까지 이 짓을 해야 하나."

이방은 정 부사가 죽어 있을 줄 알고 문을 벌컥 열었습니다.

“아이쿠, 깜짝이야!”

문을 여는 순간 이방은 쿵, 엉덩방아를 찧고 말았습니다. 죽어 있어야 할 사람이 멀쩡하게 살아 있었기 때문입니다.

“이게 어찌된 일입니까?”

이방이 엉금엉금 기어가 정 부사 앞에 꿇어앉았습니다.

“이 고을에 배 좌수라는 사람이 있느냐?”

“예, 있사옵니다. 그런데 그를 어찌 아십니까?”

죽지 않고 살아 있는 것도 신기한데 갑자기 배 좌수를 찾으니 더욱 놀라운 일이었습니다. 이방은 슬쩍슬쩍 정 부사를 보며 정말 살아 있는 사람인가 확인했습니다.

“자식은 몇이나 있느냐?”

“전처가 낳은 두 딸은 일찍 죽고 후처가 낳은 세 아들이 있습니다.”

“두 딸은 어쩌다가 죽었느냐?”

“자세히는 알지 못하나, 큰딸은 무슨 죄가 있어서 연못에 빠져 죽었다고 합니다. 동생은 언니의 죽음을 애통하게 여겨 언니가 죽은 연못에 빠져 죽었다고 하고요. 그런데 사람들 말로는 동생의 원혼이 날마다 연못가에 나와 앉아 '계모의 모함으로 억울하게 누명을 쓰고 죽었다' 고 울면서 호소한다고 합니다."

이방의 말과 홍련의 말이 틀리지 않았습니다.

"배 좌수 부부를 당장 잡아 들여라."

정 부사의 명령에 곧 배 좌수 부부가 끌려왔습니다.

"듣자하니, 그대에게는 전처의 두 딸과 후처의 세 아들이 있다 하는데 사실인가?"

부사가 먼저 배 좌수에게 물었습니다.

"그러합니다."

"다 살아 있는가?"

"두 딸은 병들어 죽었고, 지금은 아들들만 있습니다."

집안의 체면을 생각해서 배 좌수가 거짓으로 말했습니다.

"두 딸이 무슨 병으로 죽었는지 바른 대로 말하라. 그렇지 않으면 죽음을 면하지 못할 것이다."

부사의 호통에 배 좌수의 얼굴이 한순간에 굳어졌습니다.

"이미 아시고 묻는 것 같아 솔직하게 말씀드리겠습니까. 사실은 병으로 죽은 게 아니라 자살한 것입니다."

배 좌수가 감히 입을 열지 못하자 허씨가 대신 나섰습니다.

"자살한 이유가 무엇인가?"

"저는 나름대로 열심히 한다고 했는데 계모라 그런지 딸들은 자꾸 삐뚤어지기만 했습니다. 그러더니 결국에는 큰딸이 임신까지 하게 되었습니다. 그래서 하인들도 모르게 약을 먹여 낙태를 시킨 다음, '네 죄는 죽어야 마땅하지만 지금 너를 죽이면 남들이 나를 의심할 것이다. 이번만은 특별히 용서할 테니 앞으로는 마음가짐, 몸가짐을 바로 하여라. 또 이 일이 알려지면 우리 집안은 큰 망신을 당할 것이니 어찌 얼굴을 들고 다니겠느냐' 하고 꾸중을 하였습니다. 그랬더니 잘못을 뉘우쳤는지 스스로 나가 연못에 빠져 죽었습니다. 작은딸 또한 제 언니를 본받았는지 집을 나간 지 몇 해째인데 아직 소식 한 자 없습니다. 공연히 찾아 나섰다가는 소문만 더 무성해질 것이라 이러지도 못하고 저러지도 못하고 있습니다."

미리 준비해 두었던 것이라 허씨의 말은 막힘이 없었습니다.

"네 말이 사실이라는 증거가 있느냐?"

"장화가 친딸이 아니라 미리 이런 일을 당할 줄 알고 있었습니다. 그래서 낙태한 것을 버리지 않고 간직하고 있다가 여기 가져 왔습니다."

허씨는 보자기로 감싼것을 내놓았습니다.

정 부사가 받아 펼쳐보니 과연 낙태한 것이 분명했습니다.

"죽은 지 오래되어 분명하진 않지만 네 말이 옳은 것 같구나. 내 다시 생각하였다 처리할 것이니 이만 물러가 있거라."

정 부사는 어떻게 할 것인가 곰곰이 생각하였습니다. 증거가 분명한 이상 아무리 부사라고 해도 어쩔 수가 없는 일이었습니다. 더구나 허씨의 말은 앞뒤가 꼭 맞을 뿐 아니라 누가 들어도 그럴싸하였습니다. 또 아니라고 반박하는 사람도 없었습니다.

그 날 밤, 홍련과 장화가 다시 정 부사 앞에 나타났습니다.

“천만다행으로 현명하신 사또를 만나서 저희 자매의 억울한 누명을 벗게 되는 줄 알았는데 어찌 그리도 쉽게 계모의 꾀에 넘어가십니까?”

“그럼 증거가 분명한데 어쩌겠느냐?”

정 부사 말대로 장화와 홍련의 억울함을 증명할 것은 아무 것도 없었습니다.

“옛날에 순 임금도 계모의 화를 입었다고 합니다. 사또께서는 저희 자매의 뼈에 사무친 원한을 의심하지 마십시오. 바라건대, 사또께서는 새어머니를 다시 부르셔서 낙태한 것을 올리라 하십시오. 그런 다음 배를 갈라 보시면 모든 사실이 명명백백 밝혀질 것입니다. 사실이 밝혀진 후에는 저희 자매를 가엾게 여겨 반드시 새어머니를 벌해 주십시오. 그러나 아버지는 새어머니의 간계에 빠져 옳고 그름을 분별치 못한 것뿐이니 용서하여 주시기를 바랍니다.”

장화와 홍련은 푸른 학을 타고 허공으로 솟구쳐 올라갔습니다.

“내 반드시 너희의 억울함을 밝혀주리라.”

날이 밝자 배 좌수 부부가 다시 붙잡혀 왔습니다.

"당장 낙태물을 꺼내 놓거라."

정 부사는 홍련의 말대로 낙태물의 배를 갈라보았습니다. 낙태물의 뱃속에는 쥐똥이 가득 들어 있었습니다. 허씨의 간계가 하루아침에 드러나는 순간이었습니다.

"저런 나쁜 사람 같으니."

"에잇, 천벌을 받을!"

관속들이 모두 나서서 허씨를 욕했습니다. 장화와 홍련의 억울한 죽음을 생각하며 눈물을 흘리는 사람도 있었습니다.

"저것을 당장 형틀에 묶어라!"

정 부사가 크게 노하여 소리 높여 호령했습니다.

"네가 끔찍한 죄를 짓고도 잘못을 뉘우치기는커녕 방자한 말로 나를 속였구나. 이제 무슨 말로 또 변명을 하려고 하느냐. 국법을 가볍게 여기고 아무 잘못도 없는 자식을 죽였으니, 그 사연을 바른 대로 말하여라."

이번에는 배 좌수가 허씨 대신 나섰습니다. 충격을 받아 넋이 절반쯤 달아난 듯한 얼굴이었습니다.

"다 제 죄입니다. 제가 처에게 속아 어리석은 짓을 했습니다."

"자세히 일러 보거라."

"이제 와서 무엇을 숨기겠습니까. 하루는 나갔다 들어오니 처가 갑자기 정색을 하고 하는 말이 '영감이 항상 장화를 세상에 없는 귀한 딸로 여기시더니 꼴 좋게 됐다'고 했습니다. 무슨 말인가 했더니, 장화가 낙태를 하고 누워 있다는 것이었습니다. 깜짝 놀라 앞뒤 살펴 볼 겨를도 없이 딸의 방에 들어가 이불을 들추어보았습니다. 그랬더니 과연 낙태한 것이 있었습니다. 제가 미련하여 처의 간계인 줄 모르고, 더욱이 전처의 유언을 잊고 딸을 죽게 했습니다. 그 죄 천 번 만 번 죽어도 마땅합니다."

자신의 어리석음으로 딸들이 죽었다고 생각하니 배좌수는 당장이라도 죽고 싶었습니다.

"네 못된 마음이 부모가 자식을 죽이게 하였구나. 그 죄 죽어 마땅하지만 너도 할 말이 있을 터이니 말해 보거라."

과연 정 부사는 현명한 관리였습니다.

"전에는 제 친정도 전처 집안 못지 않게 잘 사는 집안이었습니다. 그런데 언제부터인가 갑자기 가세가 기울기 시작하더니 몹시 어렵게 되었습니다. 그 때 마침 좌수가 혼인을 간청하기에 그 후처가 되었습니다. 혼인하여 좌수 댁에 들어가 보니 전처가 낳은 두 딸이 있었는데, 그 모습과 몸가짐이 매우 예뻤습니다. 그래서 제 자식같이 잘 키워볼 생각을 하였습니다. 그런데 딸들은 없는 집에서 시집온 계모라고 업신여길 뿐 아니라 불손하기가 이루 말로 다할 수가 없었습니다. 백 번 말해도 한 번도 듣지 않는 것은 물론이고 작은 일에도 원망을 하였습니다. 하루는 딸들이 하는 말을 우연히 듣게 되었는데 참으로 어이가 없었습니다. 저를 어미로 생각하는 게 아니라 도둑으로 생각하는 것이었습니다. 제가 자기들 재산을 다 차지할 줄 안 모양입니다. 너무 놀라고 분했지만 좌수에게 말하면 딸들을 모함한다고 할 것이어서 일을 꾸몄습니다. 이 모든 것이 제 잘못입니다. 법대로 처분해도 할 말이 없습니다. 그러나 장쇠는 이미 천벌을 받아 병신이 되었으니 부디 용서해 주시기 바랍니다."

장쇠 삼 형제도 허씨의 용서를 빌었습니다.

"부디 늙은 부모를 대신하여 저희를 죽여주십시오."

말을 듣고 보니 허씨 처지가 이해되기도 하였습니다. 더구나 부모를 위해 대신 죽겠다는 장쇠 형제를 보니 선뜻 벌을 내릴 수가 없었습니다.

"이 죄인은 내 마음대로 처리할 수가 없구나."

부사는 장화와 홍련에 관한 일을 감영에 보고하였습니다. 그러나 감사도 판결을 내리지 못하고 조정에 보고하였습니다. 그렇게 해서 장화와 홍련의 사건은 임금께서 직접 판결을 내리게 되었습니다.

"이유야 어쨌든 허씨의 죄는 결코 용서받을 수 없는 것이다. 마땅히 죽여 훗날 교훈이 되도록 하라. 그 아들 장쇠도 이미 천벌을 받았다고는 하나 누이를 죽인 죄는 죽어 마땅하다."

그러나 홍련의 부탁대로 배 좌수의 죄는 묻지 않았습니다.

판결에 따라 정 부사는

허씨와 장쇠를 죽이고 배 좌수는 방면했습니다.

사건을 마무리한 뒤, 정 부사는 장화와 홍련을 건져 내도록 하였습니다. 장화와 홍련의 시체는 오랜 세월이 지났건만 조금도 변하지 않았습니다.

"이제 그만 한을 풀고 좋은 데로 가거라."

정 부사는 명당 자리를 골라 장화와 홍련을 묻어 주었습니다. 비석에는 '**해동 조선국 평안도 철산군 배무룡의 딸 장화·홍련의 불망비**'라고 썼습니다.

그 날 밤 정 부사의 꿈 속에 장화와 홍련이 나타났습니다.

"저희들은 천만다행으로 현명하신 사또를 만나 뼈에 사무친 한을 풀게 되었습니다. 더구나 시체까지 거두어 주셨으니 그 은혜 태산보다 높고 바다보다 깊습니다. 이제 곧 부사께서는 높은 자리에 오를 것이니, 저희들의 작은 힘이라고 생각해 주십시오."

장화와 홍련의 말대로 부사는 그 때부터 차차 승진하여 마침내 통제사에까지 이르게 되었습니다.

한편 배 좌수는 외로이 살던 중 윤광호의 딸과 혼인을 하게 되었습니다. 윤광호의 딸은 겉모습도 아름다웠지만 마음씨 또한 온순하여 배 좌수가 크게 아꼈습니다.

어느 날, 배 좌수가 장화와 홍련을 생각하다 잠이 들었을 때였습니다. 장화와 홍련이 곱게 단장하고 나타나 절을 했습니다.

"저희들 팔자가 기구하여 일찍 어머니를 잃고 모진 새어머니를 만나 억울한 누명을 쓰고 죽게 되었습니다. 그 억울하고 원통한 사연을 옥황상제께 아뢰니 상제께서 말씀하시길 저희 팔자가 그러하니 누구를 원망하겠냐고 하셨습니다. 그러나 아직 아버님과의 인연이 끝나지 않았으니 다시 세상에 나가 함께 살라고 하셨습니다."

윤씨 또한 꿈을 꾸었습니다. 선녀가 구름을 타고 내려와 연꽃 두 송이를 주는 꿈이었습니다.

"이 꽃은 장화와 홍련입니다. 옥황상제께서 이들을 불쌍히 여기시어 부인께 보내는 것이니 귀하게 기르십시오."

윤씨는 배 좌수에게 꿈 이야기를 들려주었습니다.

"그런데 장화와 홍련이 누구입니까?"

"먼저 죽은 딸들이라오."

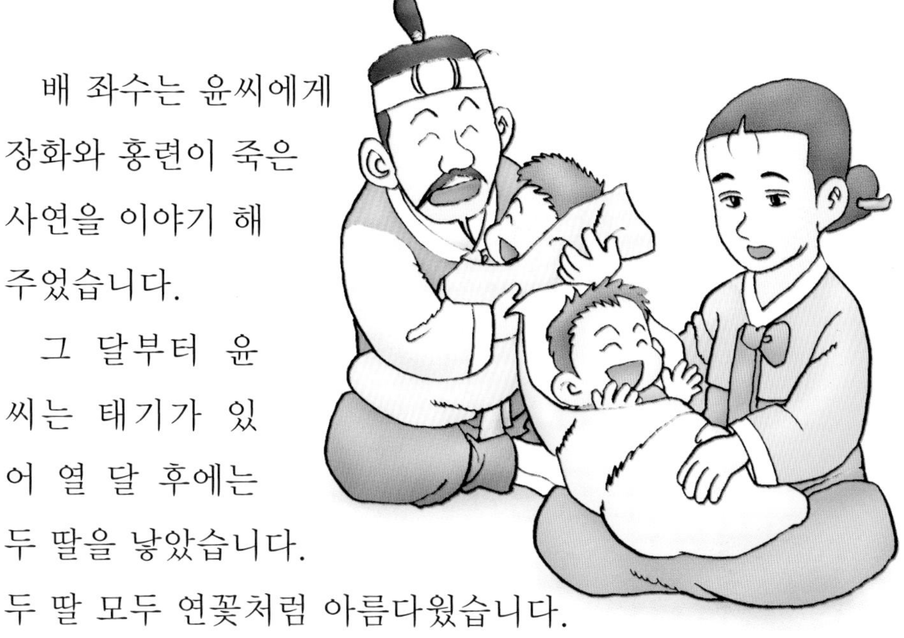

배 좌수는 윤씨에게 장화와 홍련이 죽은 사연을 이야기 해 주었습니다.

그 달부터 윤씨는 태기가 있어 열 달 후에는 두 딸을 낳았습니다. 두 딸 모두 연꽃처럼 아름다웠습니다.

배 좌수는 '꽃이 화하여 여자아이가 되었다'는 뜻으로 장화와 홍련이라고 이름지었습니다.

세월이 흘러 장화와 홍련의 나이 열다섯 살에 이르자 그 아름다움이 어디에 비길 데가 없었습니다. 마음 또한 곱고 아름다워 배 좌수 부부의 사랑이 지극하였습니다.

배 좌수는 장화와 홍련의 신랑을 구하려고 널리 알아보았습니다. 마침 평양에 사는 이연호라는 사람의 쌍둥이 아들들이 생김새뿐 아니라 재주가 비상하다는 소문이었습니다. 형제의 이름은 윤필과 윤석이라고 하며 나이는 열여섯 살이었습니다.

이연호 또한 아들의 혼처를 구하다 장화와 홍련에 대한 이야기를 들었습니다. 두 집안은 당장 사람을 보내 혼인을 하기로 결정했습니다. 이 때 조정에서 널리 인재를 구하기 위해 과거 시험을 시행했습니다. 윤필과 윤석 형제가 과거에 나아가 장원급제를 하였습니다. 임금께서는 이들을 기특히 여겨 한림학사를 제수하였습니다.

9월 15일, 윤필과 윤석 형제는 장화와 홍련 자매와 혼례를 올렸습니다. 그 모습이 한 쌍의 꽃송이요, 두 쌍의 봉황 같아 부모들은 크게 기뻐하였습니다. 장화와 홍련은 시부모를 효성으로 받들어 모시고 남편과 뜻을 맞춰 잘 살았습니다.

장화는 아들 둘에 딸 하나를 낳았습니다. 큰아들은 문관으로서 재상에까지 이르렀으며, 둘째 아들은 무관으로서 장군이 되었습니다. 홍련도 아들 둘을 낳았습니다. 큰아들은 벼슬이 정남에 이르고, 둘째 아들은 벼슬을 하지 않고 거문고와 책읽기를 즐겼습니다.

장화와 홍련은 일흔세 살에 이르러 한날한시에 죽고, 윤필과 윤석 형제는 일흔다섯 살에 죽었습니다.

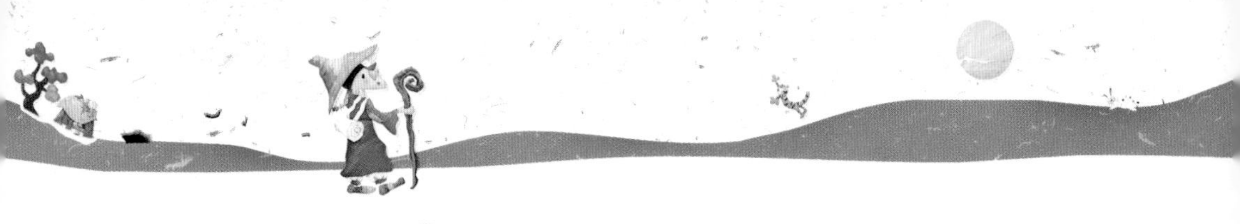

읽고나서

〈**장화홍련전**〉은 오래 전부터 평안도 철산 지방에 내려오는 이야기입니다. 이것은 나쁜 계모에 대한 대표적인 이야기로서 〈**콩쥐 팥쥐**〉보다 그 내용이 훨씬 심각합니다.

계모인 허씨는 전처의 딸인 장화와 홍련을 죽이기 위해 거짓 낙태 사건을 꾸몄습니다. 거기에다 자신의 친아들인 장쇠까지 끌어들였습니다. 이것만 보면 허씨는 아주 나쁘고 어리석은 사람처럼 보입니다. 그러나 허씨에게도 나름대로 이유가 있었습니다. 장화와 홍련이 어머니로서 대접을 하지 않고, 배 좌수 또한 전 부인을 잊지 못하니 나쁜 마음이 든 것입니다.

물론 허씨는 죽음으로써 자신의 죄를 갚게 됩니다. 이 이야기의 주제인 권선징악이 잘 나타나는 대목입니다. 그러나 결코 처음부터 나쁜 사람은 없다는 숨은 뜻도 찾아낼 줄 알아야 하겠습니다.